UNIVERSALE
ECONOMICA
FELTRINELLI

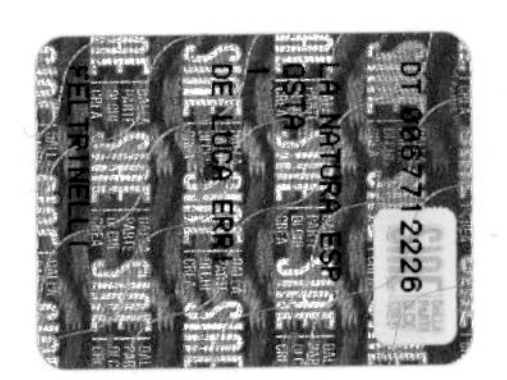

Erri De Luca è nato a Napoli nel 1950. Ha pubblicato con Feltrinelli: *Non ora, non qui* (1989), *Una nuvola come tappeto* (1991), *Aceto, arcobaleno* (1992), *In alto a sinistra* (1994), *Alzaia* (1997, 2004), *Tu, mio* (1998), *Tre cavalli* (1999), *Montedidio* (2001), *Il contrario di uno* (2003), *Mestieri all'aria aperta. Pastori e pescatori nell'Antico e nel Nuovo Testamento* (con Gennaro Matino; 2004), *Solo andata. Righe che vanno troppo spesso a capo* (2005), *In nome della madre* (2006), *Almeno 5* (con Gennaro Matino; 2008), *Il giorno prima della felicità* (2009), *Il peso della farfalla* (2009), *E disse* (2011), *I pesci non chiudono gli occhi* (2011), *Il torto del soldato* (2012), *La doppia vita dei numeri* (2012), *Ti sembra il Caso?* (con Paolo Sassone-Corsi; 2013), *Storia di Irene* (2013), *La musica provata* (2014; il libro nella collana "I Narratori", nella collana "Varia" il dvd del film), *La parola contraria* (2015), *Il più e il meno* (2015), il cd *La musica insieme* (con Stefano Di Battista e Nicky Nicolai; 2015), *Sulla traccia di Nives* (2015), *La faccia delle nuvole* (2016), *Morso di luna nuova. Racconto per voci in tre stanze* (2017), *Diavoli custodi* (con Alessandro Mendini; 2017) e, nella serie digitale Zoom, *Aiuto* (2011), *Il turno di notte lo fanno le stelle* (2012) e *Il pannello* (2012). Per i "Classici" dell'Universale Economica ha tradotto l'*Esodo, Giona,* il *Kohèlet,* il *Libro di Rut,* la *Vita di Sansone,* la *Vita di Noè* ed *Ester.* Sempre per Feltrinelli ha tradotto e curato *L'ultimo capitolo inedito de La famiglia Mushkat. La stazione di Bakhmatch* di Isaac B. Singer e Israel J. Singer (2013).

ERRI DE LUCA

La Natura Esposta

Prima edizione ne "I Narratori" settembre 2016
Prima edizione nell'"Universale Economica" gennaio 2018

Stampa Grafiche Busti - VR

ISBN 978-88-07-89041-3

La Natura Esposta

Premessa

"Da questo momento tutto quello che dite potrà essere usato a mio vantaggio." Questa premessa, a volte sottintesa, presiede al mio ascolto. Una frase con involontario doppio senso, un proverbio sconosciuto, una disavventura possono trasferirsi nelle mie pagine.

La Natura Esposta proviene da un ascolto. È un racconto teologico: se il mondo e le creature viventi sono opera di una divinità, ogni racconto lo è necessariamente. Personalmente escludo l'intervento divino dalla mia esperienza, non da quella degli altri. Posso rivolgermi con il tu delle preghiere, delle collere, delle compassioni, solo alla specie umana.

Era una sera di luglio nel maso in Val Badia di Lois Anvidalfarei e Roberta Dapunt, lui scultore in bronzo, lei poeta in tre lingue. Alla loro tavola si prolungava la cena di noi tre, raccontandoci l'anno. Roberta annunciò che Lois aveva una storia da riferire. L'ascoltai e la dimenticai.

L'anno seguente mi ritrovai alla loro tavola, o loro alla mia, nel locale Tabarel a San Vigilio di Marebbe.

Tornammo sull'argomento, ricordai i particolari che mi avevano interessato.

Nell'autunno del 2015, al termine di laboriose udienze in un'aula del Tribunale di Torino, sono tornato alla scrittura. La mia ha bisogno, come quando scalo una parete, di dare schiena a tutto e concentrarsi sulla superficie stesa davanti al naso, con la migliore precisione possibile. Sono andato a capo e ho cominciato.

Non credo che Lois riconoscerà nelle pagine seguenti il suo racconto. Ma qui devo ugualmente dichiararne l'origine e il debito di gratitudine. Lois mi aveva già offerto l'immagine di copertina di *La parola contraria*, un suo bronzo prigioniero.

In queste pagine entro nel suo campo con la storia di uno scultore.

La prossima volta che c'incontreremo, non andrò a mani vuote.

Abito vicino al confine di Stato, sotto montagne sapute a memoria. Le ho imparate da cercatore di minerali e fossili, poi da scalatore. L'incerto guadagno mi viene dal commercio di quello che trovo e da piccole sculture in pietra e legno.

Intaglio nomi per gli innamorati tenaci, che li preferiscono incisi su rami e sassi, anziché su tatuaggi. Durano di più, senza sbiadire. Cerco radici secche, pietre somiglianti a lettere dell'alfabeto. Facili da trovare quelle a forma di cuore, risalendo il greto dei torrenti in secca. Altre forme più aspre le trovo sui ghiaioni, dove si accumulano i distacchi dalle pareti. In natura si trovano sillabari.

Sono richiesto per piccoli lavori di riparazione di sculture, di solito in chiese. Da noi ci tengono a far bella figura facendosi decorare da artisti. Io non lo sono, riparo nasi, dita, le parti più fragili. Da ragazzo ho potuto studiare al liceo artistico. Con quel diploma sono poi andato a lavorare alla miniera di carbone. Da quando ha chiuso, mi arrangio con quello che trovo.

Uscivo dal turno in galleria e invece di scendere al villaggio salivo in montagna. Avevo desiderio di neve, mi lavavo mani e faccia con quella. Correvo in salita nel bosco, spremevo dai pori un sudore pulito. Salivo sui rami di un grande pino cembro impastando di resina le mani. Dal palco più alto fissavo l'orizzonte, per togliermi di dosso la galleria. Mi passava per la schiena il fremito del cane uscito dall'acqua.

Mi è rimasta l'ammirazione per gli artisti, un sentimento di spettatore, non di collega. Prossimo ai sessanta, salgo ancora bene sopra impalcature e monti. Abito l'ultima casa fuori del villaggio. Per me è la prima in discesa dai boschi, a pochi metri da una cascatella che mi dà acqua corrente. Un rivolo ne resta pure quando gela.

Da qualche tempo in paese arrivano degli stranieri spaesati. Cercano di attraversare il confine, le autorità lasciano fare, per non doversi occupare di loro. Abitiamo una terra di transiti. Qualcuno di loro potrebbe fermarsi, ma nessuno di quelli arrivati fino a qui. Hanno per bussola un indirizzo in tasca. Per noi che non abbiamo viaggiato, loro sono il mondo venuto a farci visita. Parlano lingue che fanno il rumore di un fiume lontano.

Per loro è cresciuto un piccolo servizio di accompagnatori oltre confine. Siamo in tre, anziani, perché quassù si è anziani a sessant'anni. Solo noi tre conosciamo i passaggi anche col buio.

Buffi gli Stati che mettono frontiere sopra i monti, li prendono per barriere. Sbagliano, le montagne sono un fitto sistema di comunicazione tra i versanti, offrendo varianti di passaggio secondo le stagioni e le condizioni fisiche dei viaggiatori.

Le piste di noi tre sbucano dall'altra parte senza incontrare l'anima di nessuno. I confini funzionano in pianura. Si stende il reticolato e non si passa. Non si può fare in montagna.

Farsi accompagnare ha una tariffa. Da noi l'hanno stabilita gli altri due, a me sta bene che siano loro a fissare i compensi. I viaggiatori pagano in contanti, costretti a fidarsi. Si usa un inglese di dieci parole, il gergo degli spostamenti.

Qualcuno cerca di passare senza di noi e si perde, si sfianca e lo troviamo stecchito, pizzicato dai corvi. Diamo sepoltura, portando una pala ogni viaggio.

Da lontano uno crede di vedere un varco, poi da vicino, da dentro, non lo trova più.

Arrivano donne, ragazzini soli, niente sconti, l'accompagnamento non diventa più leggero, anzi più lungo. Se si tratta di uomini gagliardi li porto sul difficile, che accorcia. In qualche tratto ripido lego una corda in vita e li tiro su. Perciò chiedo che abbiano uno zaino e mani libere.

Coi ragazzini e con le donne si segue la pista più lenta, bado ai loro vestiti, alle scarpe. Senza un buon paio e dei panni caldi non vado, neanche d'estate. Gli altri due li piglierebbero anche scalzi. Fanno più soldi ora che nel resto della vita intera.

Uno è fabbro, l'altro fornaio. Ci conosciamo dall'età di marmocchi scatenati. Abbiamo scalato insieme, frugato sotto ogni sasso quando ci pagavano le vipere catturate.

Abbiamo dormito tra i monti e sotto gli alberi. Il fabbro è alto, massiccio, lascia impronte da orso. Il fornaio è il più anziano di noi, le mani cotte come le pagnotte, buone più a niente. I piedi invece vanno e con quelli si mette un bel gruzzolo in tasca.

Non andiamo insieme, ognuno fa il suo viaggio. Capita di incrociarci tra chi va e chi rientra.

Siamo sbucati fuori dalla stessa valanga che ci ha trascinato per centinaia di metri nel suo buio improvviso in pieno giorno. Al termine della corsa ci ha sputato fuori come noccioli spolpati.

Quando si precipita, sono spaventosi i primi metri lenti, poi acceleri, rotoli, sbatti e litighi con la morte. Ho rivisto l'aria in fondo alla discesa, scappato via dal sacco, sbalordito di essere vivo e intero. Mi sono alzato, ho visto il fabbro con la testa in giù nella neve, gli uscivano i piedi. L'ho tirato fuori e gli ho buttato a fiato l'aria nei polmoni finché non mi ha sputato in faccia il primo soffio. Il fornaio stava più lontano ma con la faccia all'aria, svenuto. Sono bastati gli schiaffi. Aveva un braccio scassato. Vivi tre su tre, meglio che impossibile. La sera abbiamo vuotato una damigiana di vino da cinque litri, neanche troppo.

Il nostro non è un villaggio per donne. Sono partite per la città, sposate o no. Hanno per tradizione di bellezza l'incrocio con genti di passaggio. Hanno la carovana nel sangue. I maschi restano, qui da noi il mondo va con questo rovescio e ci sta bene. Siamo rimasti un paese di uomini e bestie.

In estate vendo ai villeggianti i pezzi e le sculture che faccio in inverno. Sul tavolo grezzo davanti la casa sistemo le mie offerte. Si fermano per curiosità. Il tempo per loro è legato all'acquisto, se non hanno soldi non si fermano. Lo dicono, anche si scusano, tirando dritto, come rivolti a uno che stende la mano. Non immaginano che posso regalare le mie cose a chi si ferma per guardare, toccare, per una domanda.

Quassù c'erano pesci, coralli, conchiglie. Dei loro resti sono fatte le montagne. A chi dice che siamo montanari, rispondo che avevamo il mare prima di loro. Lo dimostro con il pescato inciso sulla faccia della pietra, il calco di una lisca, di una valva di ostrica.

Porto all'aria anche i miei libri usati, li offro in lettura, faccio da biblioteca comunale che non c'è.

A me sono serviti a conoscere il mondo, la varietà delle persone, che da queste parti sono scarse. Tengono calda la casa, compatti contro la parete a settentrione.

Calata la vista leggo meno, rimando l'acquisto di un paio di occhiali. Il corpo ha le sue generazioni, quest'ultima va un po' alla cieca. Per questo so andare di notte in montagna.

Gli incontri con i viaggiatori si fanno alla locanda. Di solito entra uno di loro e viene a nome degli altri. Uno di noi si trova, se no aspetta.

Non c'è bisogno di appartarsi, qui si sanno i fatti degli altri, i torti, le arti, i tradimenti. Sono mischiati insieme con le ossa. Si lascia vivere senza immischiarsi.

L'oste provvede a sistemare in stalla gli arrivati. Se il tempo non vuole, c'è da aspettarlo.

Non sono mendicanti, hanno denaro da poter viaggiare in prima classe. Invece devono farlo con noi, di nascosto, a piedi, pagando ogni metro percorso. Sono abituati ai banditi, noi siamo gli ultimi incontrati, non i peggiori.

Dico di noi per non escludermi, ma mi regolo diversamente. Mi faccio pagare come gli altri e quando li ho portati di là, restituisco i soldi. Servono più a loro. Non glielo dico prima, che ho i loro soldi addosso, che non venga a qualcuno il pensiero di riprenderseli di forza.

Non indurre in tentazione: questa frase del catechismo è rimasta conficcata in testa. Se hai indotto in tentazione, è mezza colpa tua.

Dall'altra parte del confine indico loro dove fermarsi a riposare, dove trovano trasporti. Rimetto in mano i loro soldi e giro i tacchi. Mi tappo le orecchie, così capiscono che non voglio essere ringraziato. Sono allergico ai thank you.

Mi fa piacere essere utile all'età che da queste parti va a finire al macero, al delirio alcolico, all'ospizio. Vantaggio di non essere padre sta che non c'è un figlio che vuole rinchiudermi lì dentro.

La montagna è il mio ospizio, un giorno sarà lei a chiudermi gli occhi e darli ai corvi, il loro boccone preferito.

Sui monti del villaggio c'è stata la guerra dei miei nonni. Di ritorno da un attraversamento mi fermo su un terreno di battaglia. Mi sdraio accanto ai corpi che non ci sono più, chiudo le palpebre.

Aspetto finché immagino di essere dei loro, coetaneo di sventura. Dura il tempo di qualche respiro.

In montagna si mescola memoria con immaginazione. Quando scalo una parete, metto le dita sugli stessi centimetri e appigli degli alpinisti che l'hanno inaugurata per la prima volta. Coincido con le loro mosse, infilo il moschettone nell'asola del chiodo che piantarono, sto alla uguale distanza del naso dalla roccia.

Fosse vivo mio fratello gemello, approverebbe. Aveva sei anni quando fu cancellato dall'onda di piena del torrente in primavera. Pescava le trote da una lisca di terra in mezzo alla corrente. Dal villaggio sentimmo il suono di tempesta che fa l'onda di piena scippando alberi e sassi dalle rive, a rovinare. Trovammo una sua scarpa chilometri a valle.

Più di cinquant'anni fa: il suo pensiero mi tiene compagnia. Era coraggioso senza esibizione, saliva sugli alberi, si tuffava nell'acqua gelata. Lo considero fratello maggiore ancora adesso. Nelle decisioni penso a lui, gli chiedo. Ha diritto all'ultima parola. Non sono sicuro di riconoscerla, mi basta pensare che è sua.

Era mancino, io no. In suo nome ho voluto imparare a usare la sua mano alla pari. Sul quaderno scrivo una pagina con la mia e l'altra con la sua. A tavola alterno le posate. Così le mani restano gemelle.

Intanto la novità, è venuta la televisione straniera a cercarmi. Sono andati dall'oste. Sapeva che stavo facendo un attraversamento e li ha ospitati. Mi è venuto incontro sul sentiero di ritorno. Mi ha detto che ero diventato importante. Uno di quelli che avevo accompagnato un anno fa è scrittore, ha pubblicato un libro sul suo viaggio, che ha fatto fortuna. Racconta del nostro villaggio e della traversata notturna. Riferisce che all'alba, dall'altra parte, ho restituito i soldi.

Così mi ha inguaiato. L'oste si frega le mani per la pubblicità al paese e alla locanda. La sera precedente hanno girato le riprese all'interno, pure al nostro tavolo vuoto, dove prendiamo gli accordi.

"Verranno i turisti, altro che posti in stalla." Mi trascina con lui, ho la notte sulle spalle ma non passo neanche per casa.

Mi pianto in terra, mi fermo. Uno scrittore? Tutto falso, si è inventato la storia. Chi può credere che restituivo i soldi? Gli scrittori li conosciamo, vendono storie.

L'oste mi guarda storto: "Non fare il guastafeste. Per una volta che questo straccio di paese interessa a qualcuno".

Che balle gli racconto in faccia?

"Con il successo del libro si sono aggiunti altri testimoni intervistati che hanno confermato gli attraversamenti 'gratis'. Vogliono fare una trasmissione per invitare loro e me."

È la fine della mia piccola soddisfazione di essere ancora utile. L'attenzione, la pubblicità mette fine agli attraversamenti dalle nostre parti.

Rispondo all'oste che neanche in punto di morte ammetterò di averlo fatto gratis.

Mi tocca fare la parte dello scimunito, negare, dire che è tutta fantasia di ingegno. Ripeto questa frase per la durata della giornata a questi che chiedono. Nessun estraneo mi ha chiesto un parere finora durante la mia vita e d'improvviso una folla insieme.

Il fabbro e il fornaio mi tolgono il saluto, l'atto più grave tra gente di paese, un'espulsione dal registro dei vivi. Sono d'accordo con loro, me lo toglierei da me stesso il saluto.

Lo scrittore, ci doveva essere uno scrittore tra le centinaia di accompagnati, doveva scriverci un libro e doveva pure avere successo: questi casi riuniti sono quasi impossibili, eppure eccoli qua a sbattere un uomo fuori dai ranghi.

Avrà creduto di farmi un piacere. Me lo poteva chiedere, tornare qui e chiedermi se mi faceva piacere. Invece eccolo a scrivere: "Mi ha fatto attraversare le montagne al buio, con una bussola in testa e non in mano. Ci ha trattato da esseri umani e non da gregge da tosare. Ci ha rimesso i nostri soldi, si è girato e se n'è andato in fretta tappandosi le orecchie per farci intendere che non servivano ringraziamenti. Siamo rimasti a bocca e mani aperte, qualcuno di noi si è commosso. Scrivo queste pagine per gratitudine".

Robaccia, i lettori di oggi sono diventati di bocca buona. Mi ha pagato, no? Mi ha dato il suo denaro e io l'ho preso. La restituzione non cambia le cose. Ho intascato e ho fatto il contrabbandiere di persone a pagamento. Di là dal confine mi sono alleggerito di un peso per il viaggio di ritorno.

Dico sul serio, ritornavo leggero senza quel denaro, senza sentire la fatica della notte di andata. Rientravo in tempo per la cena e per il sonno. Capitava di ripartire la notte seguente. Se avessi avuto la spinta dei soldi, non mi sarebbe bastata per ripartire.

Sono fatti miei e dovevano restare così. Invece stanno esposti, svergognati. Il santo dei monti, il contrabbandiere gentiluomo: la celebrità è una presa in giro.

Alla tavola grezza davanti casa con i pezzi esposti, si ferma nei giorni seguenti una comitiva salita per una gita in pullman. Vengono per me, hanno visto il servizio al telegiornale. Acquistano in una sola volta quello che non vendo in una stagione. Non faccio fotografie, se le fanno tra loro.

Continuo a negare la faccenda, non mi credono. Pare che gli piaccia pure la mia negazione. Non lo dico per essere creduto, ma per essere lasciato in pace.

Qualcuno a bassa voce mi dice di avere aiutato un profugo anche lui. Fa la faccia del cospiratore, che sa di commettere una trasgressione. Forse è così in pianura, qua si fa diverso. Profughi, li chiamano così. Per me sono viaggiatori di sfortuna, ne hanno avuta troppa, tutta insieme. Cercano di scrollarsela di dosso con il viaggio. La sfortuna è una rogna da grattarsi. Molti di loro non riescono a metterla giù, gli resta addosso a peso di zavorra, rimangono schiacciati.

Uno mi chiede di guidarlo oltre confine, desidera fare l'esperienza. Dico di no, che certe notti di cammino si fanno per necessità. Se per curiosità, portano male. È un giornalista, giovane, vuole raccontare. Per questo, gli dico, non ci va il bisogno di mettersi a fare, basta mettersi a inventare. Ci mette la sua fantasia e si risparmia la nottata.

Dice che mi paga. Lo mando dai due compari all'osteria. Lui voleva andare con me. Niente da fare.

Dopo questi fatti anche il resto del paese mi guarda storto. "Avevamo il santo in casa e non lo sapevamo."

Alla locanda succede la rottura. Sto lì al solito tavolo di noi tre a bere il quartino di rosso. Arrivano i due, restano in piedi. Parla il fornaio.

"Che ti sei messo in testa? Credi che i tuoi pidocchi sono camosci?"

Da noi va questo proverbio: uno che si dà le arie crede che i suoi pidocchi sono camosci. Non rispondo.

Parla il fabbro.

"Ci hai messo nella merda, tu il santo e noi i banditi."

Mi conoscete dal secolo passato e date retta a chiacchiere di forestieri. "Non hai il coraggio di ammettere che ci hai fregati," dice il fornaio.

I soldi li ho presi come voi.

"E poi li restituivi."

Quello che faccio con i soldi non devo rendere conto a voi. Vi chiedo dove li avete messi?

"Affari tuoi finché non si vengono a sapere dalla televisione. Il passaggio è sputtanato, da qui non si attraversa più."

Fanno scena, fanno vedere un po' di guardia di finanza che gira nel villaggio. Tra una settimana se ne sono andati.

"Allora tra una settimana fai il passaggio con i soldi in tasca e non li restituisci."

Insistete a occuparvi dei miei soldi. Prendeteli voi, io faccio il passaggio a modo mio.

Il fabbro appoggia le due nocche sul tavolo e mi dice a voce diversa, ora bassa come un ringhio: "Non ci serve la tua carità. Ci serve che scendi dall'altare".

Non ci sono salito.

"Ti ci hanno messo, fai la mossa di scendere."

Già fatto, ho negato.

"Con tutti quelli che hanno detto la stessa cosa dei passaggi gratis, devono credere a te?" dice il fornaio.

Credono quello che vogliono.

Li guardo da seduto, non li invito a sedersi. Il fabbro adesso parla come si batte il ferro, scandisce sillabe a martello.

"Fai il passaggio e ti tieni i soldi. Così dimostri che sei ancora uno di noi."

Ho capito. Non sono uno di voi. Sono uno e basta. Mi è passata la voglia di fare passaggi. Il fabbro solleva una mano chiusa.

"Non ti butto giù a pugni perché una volta mi hai salvato la pelle. Oggi siamo pari. Te ne puoi andare sulle tue gambe."

Sto seduto qui e ci resto. Potete andarvene voi.

Il fabbro alza il pugno sul tavolo e lo picchia facendo saltare bicchiere e quartino.

Che deve fare un uomo, pure se ha il bianco nei capelli? Metto mano alla tasca interna della giacca e tiro fuori lentamente il coltello a lama fissa. Il fornaio si mette davanti al fabbro.

"Te lo ripago io il vino. Oste, portane un altro. Ora noi ce ne andiamo e tu domani lasci il villaggio."

Altre volte tra noi c'è stata la zuffa, ma si era bevuti. Finita la sfiammata si tornava gli stessi. Stavolta si è sobri e non c'è un prima da poterci tornare. Il coltello taglia pure se non si usa. Averlo in pugno già taglia. Guardi in faccia l'altro e ha già tagliato.

Si voltano, escono, i passi pesanti sul legno sono calci. L'oste si avvicina con il quartino e con lo straccio per asciugare.

"Lo facevi?" chiede e indica il coltello.

Vuoi la risposta da uno risaputo per dire bugie? Lo sai più tu di me, se lo facevo.

Bevo il quartino, l'ultimo del mio tempo al villaggio.

Il giorno dopo sono in cammino prima dell'alba e fuori dalla strada, per i boschi. Non mi faccio vedere mentre lascio il posto dove sono nato e vissuto.

Porto attrezzi da lavoro, vado a svernare in una città sul mare, in fondo alle discese. Non la conosco, penso di cercare qualcosa da riparare.

Prima dell'alloggio cerco un locale economico dove avere un pasto caldo la sera. Dev'essere un posto dove ci si scambia il saluto. Ne trovo uno giusto al porto, governato da una donna che chiamo subito padrona. Mi presento e chiedo quanto mi viene il costo di un pasto ogni sera. Il prezzo è buono e mi consiglia un alloggio. È una donna robusta, modi schietti e sbrigativi, capelli neri dentro un fazzoletto a fiori, età meno della mia.

I suoi ospiti sono marinai di passaggio e operai algerini di una cava di marmo. Brava gente dice di loro, ma senza vino. Il tavolato è unico, ci si siede accanto a chi c'è già, sulla stessa panca.

Così conosco la parte di viaggiatori che si è fermata da noi.

Mi mancava di poter parlare con i rimasti. Una volta c'erano gli esploratori che raggiungevano popoli sconosciuti, frugando per il mondo. Oggi ci sono questi visitatori, sbarcano su una terraferma, chiedono come si chiama e dove sta. Sono sgomenti di essere lontani dal posto che hanno scritto in tasca. Poi trovano un lavoro che ha bisogno di loro e solo di loro, per mancanza di altri.

Parlo con quello che mi risponde lungo, non a sillabe. Ascolto le storie di sorti strampalate, modi nuovi di morire, in una stiva asfissiati dal gas del motore, assiderati nel vano di un carrello di aereo, soffocati nel camion lasciato parcheggiato sotto il sole d'estate.

"Perché sia giusta la morte, bisogna che sia uguale il modo di morire, la sua maniera di stringere. Non è più come dice il poeta persiano, che la morte è giusta perché colpisce il misero e il re."

Gli racconto le mie notizie di fossili marini sopra i monti. Lui apprezza la geografia, la vita della terra prima di noi. È un buon intenditore di storie, di quelle senza un autore. Come i proverbi e le barzellette, non si conosce il primo.

Va bene parlare di fianco, voltandosi ogni tanto verso il vicino. La padrona serve la tavolata secondo l'ordine di ingresso nel suo locale. Non dimentica i nomi e le spezie gradite di ognuno.

Di fianco all'uomo ascolto le briciole della sua giornata, i pesi, i risparmi, la donna lontana, i figli cresciuti senza di lui, la casa in costruzione in altopiano con la paga del marmo. Gli dico che la mia casa è venuta dagli anni allo scavo di carbone. Sorridiamo del nostro lavoro bianco e nero.

Durante il giorno faccio il giro delle botteghe per sapere se c'è qualche bisogno di aggiustare. Poi faccio il giro delle chiese piccole, di solito si trova qualcosa. Qui niente, non ci tengono ai loro arredi.

Non posso tirare a lungo, se non spunta qualcosa devo ripartire. Finito il giro delle chiese piccole, mi affaccio pure sulla grande. È un luogo solenne, mette soggezione. Non ho fede nell'alto dei cieli, li ho visti da vicino, sono freddi. Per scrupolo di bussare a tutte, vado anche a quella. Ho fortuna giusto con l'ultima rimasta.

Il parroco è un uomo dell'America Latina sui quarant'anni, mi guarda pensieroso, mi chiede che so fare. Gli dico la mia varietà e lui pensa che potrei tentare una riparazione. È delicato assai, mi dice, una statua in marmo, un crocifisso a grandezza naturale.

Chiede se conosco il marmo. Sì, l'ho lavorato, me la so cavare.

Ha una voce calma, grave, mani consistenti, non di suonatore di organo. Di un uomo guardo quelle, per capire chi è.

Mi accompagna a vedere la scultura. Sta dentro una rimessa a piano terra, nel cortile della canonica. Sembra perfetta, un blocco di alabastrino scolpito con intensa precisione. Resto ammirato, giro intorno, sarà del Rinascimento, penso di avere esagerato dicendo le mie capacità.

"Che ne dici?"

Mi piace il suo tu. Rispondo che è integro oltre che meraviglioso, niente da aggiustare, casomai da ripulire.

Mi racconta la storia.

"Lo scultore è un giovane artista dei primi del 1900. Compone questo suo capolavoro appena tornato dai fronti della Prima guerra mondiale. Riceve la rischiosa e inaudita commissione di scolpire in marmo un Cristo nudo. Il dopoguerra fu un tempo di rivolgimenti e la Chiesa sentì l'esigenza di corrispondere ai tempi.

"Devi sapere che nelle crocifissioni il condannato veniva issato nudo. Un tempo si ammetteva questa raffigurazione del supplizio. Un crocifisso nudo, in legno, fu scolpito perfino da Michelangelo. Dopo il Concilio di Trento la Chiesa si mette a coprire le nudità."

Mentre mi parla, ammiro il capolavoro che non è nudo affatto.

"Il giovane scultore esegue l'opera in un solo anno di lavoro accanito e insonne. Ma già l'anno seguente è cambiato il tempo e anche il vescovo. Quello nuovo ordina di coprire la nudità con un panneggio. Lo scultore si oppone, viene estromesso. Un altro aggiunge il brutto panno che si vede adesso. Lo scultore poco dopo muore in montagna."

Continuo a non capire che devo fare.

"Come puoi vedere, si tratta di un'opera degna di un maestro del Rinascimento. Oggi la Chiesa vuole recuperare l'originale. Si tratta di rimuovere il panneggio."

Osservo la copertura in pietra diversa, sembra ben ancorata sui fianchi e sulla nudità. Gli dico che a rimuovere, si danneggia inevitabilmente la natura.

"Che natura?"

La natura, il sesso, dalle parti mie la nudità di uomini e di donne la chiamiamo così.

“Proprio questo è il problema. Diversi scultori interpellati prima di te hanno rinunciato.”

Non so da dove mi spunta la risposta, fatto sta che gli dico che potrei ricostruire la parte danneggiata dal distacco. Finora ho ricostruito nasi, dita, anche una mano mancante.

Il parroco torna a scrutarmi per capire se gli vado a genio. Mi accompagna in canonica, ci sediamo alla sua tavola. Mi chiede di aprire il palmo delle mani. È secco, ruvido, gli basta come indizio.

Da un anno è incaricato dal vescovo di trovare lo scultore adatto. La Chiesa è consapevole dell’enorme valore artistico e attraverso l’opera vuole avvicinare in modo nuovo e naturale la verità del sacrificio.

Mi fa sapere che sono ultimo di una lunga consultazione di artisti affermati e no. Uno ha detto che la rimozione traumatica della copertura era già opera sufficiente a rappresentare la nudità e la sua storia censurata. Quelli che hanno accettato di provarci, hanno proposto soluzioni bizzarre. Al posto della parte distaccata uno ha immaginato un uccello, precisamente un cuculo, perché mette le sue uova nel nido degli altri. Un altro ha pensato a un fiore. Una giovane artista ha avuto l’idea di un rubinetto.

“Dovevo registrare le conversazioni. Ne poteva venir fuori un libro interessante.”

Insomma io sono l’ultimo, e l’anno va in scadenza. Lo ringrazio della sincerità, un buon punto di partenza.

Dico che mi comporterò allo stesso modo. Se non sarò adatto, glielo dirò.

Mi chiede una prova. Accetto e torniamo nella rimessa. Prendo le misure del bacino e dell'altezza del corpo. Ci salutiamo stringendoci tutte e quattro le mani.

Gli farò una copia in gesso della parte coperta.

La sera mi guardo nudo allo specchio. Ripeto la forma stirata del corpo in torsione, la mia natura si curva seguendo la tensione dei muscoli ventrali. Rovisto nel sacco dei legni di radici, una di pino cembro assomiglia. La scorteccio, la ripulisco, la pareggio. Preparo il calco in gesso.

Intanto leggo le versioni della crocifissione nel Nuovo Testamento. Scritte molto dopo i fatti, mantengono il puntiglio di testimoni diretti. Vogliono essere lì. Così invitano il lettore a starci pure lui.

Studio in biblioteca la vita breve dello scultore. È stato giovane al tempo della Prima guerra mondiale. Leggo pagine di un suo diario battute a macchina per una tesi su di lui. Curiosamente la tesi ignora il crocifisso, si riferisce invece alle sue sculture di animali domestici e selvatici, in terracotta. Trovo questa sua frase impegnativa: "Considero l'inchiostro la controfigura del sangue, si intinge nell'uno al posto dell'altro. Entrambi contengono il ferro necessario".

Ha abitato le trincee del fango, miscuglio di terra, acqua, sangue, paura, concime della prima gioventù del secolo passato. Dal 1919 comincia a scolpire corpi umani. La guerra gli ha insegnato l'anatomia. Impara attraverso la pietà e il disgusto. Scrive che le due cose formano la conoscenza. La scultura del crocifisso in marmo è la sua ultima opera. Preceduta da un modello in terracotta, andato perso, servito per approvazione.

Lo spirito del dopoguerra era infebbrato di vitalità, in reazione alla vita offesa e alla gioventù decimata. Osarono immaginare la modernità di un crocifisso nudo a rappresentare i giovani corpi distrutti.

Lo scultore lavora da furioso e in un anno è pronto a consegnare. Il resto corrisponde al racconto del prete, il rifiuto di esporre l'opera già approvata, l'ordine di copertura affidato poi a un anonimo che usò pietra diversa.

Leggo il giornale dell'epoca ristampato in copia anastatica. Dà conto della faccenda e dello scandalo. Un anno dopo lo scultore muore assiderato sulla cima di una montagna vicina.

In tasca gli trovano un biglietto che ricopio.

Leggo in una poesia di Puškin: "Sono sopravvissuto ai miei desideri". Io no. Non ci sono stato mai. Quando pensavate che c'ero, non ero con voi. Quando vi parlavo, dentro di me tacevo.

Quando camminavo tra voi, ero invece fermo sotto un vento che andava al posto mio. Quando ero alla vostra tavola, ero in cucina a moltiplicare pesci. Non vi accorgerete della mia assenza, perché a quel punto ci sarò. Sarò per voi immancabile da assente.

C'è molto da leggere in biblioteca e preferisco intanto fare il calco da portare al prete.

Gli dico da dove l'ho ricavato. "Da una radice? Buona partenza." Lo farà vedere al vescovo.

All'osteria ci sono marinai russi, bevitori più che mangiatori, chiassosi, scherzano con la padrona che li conosce e sa tenerli a bada. Accanto a loro gli operai algerini sono silenziosi, sobri, occhi nel piatto, parlano la loro lingua intensa di aspirate che alzano una siepe tra loro e gli altri della stessa panca. Sto seduto con loro, muto tra le sillabe opposte.

Nei giorni seguenti torno in biblioteca. Leggo riviste dell'epoca. Nasce la Società delle Nazioni, per risolvere in quella sede le ragioni dei conflitti. Non viene accolta la proposta di un politico francese, Léon Bourgeois, di dotare l'organismo di una forza militare capace di imporre la soluzione delle controversie tra due Stati.

Mentre respiro la polvere della carta sfogliata, un colpo di fortuna. Un mensile pubblicò la foto della statua originale. L'immagine occupa mezza pagina, comunque mi serve la lente d'ingrandimento che porto in tasca per migliorare la mia vista. Osservo la forma della natura esposta.

Un contraccolpo mi fa saltare sulla sedia. In quel corpo morente si manifesta un principio di erezione. Resto incollato a fissare l'immagine. Poi mi parlo, mi succede così nei momenti di sorpresa. C'entra il mio gemello.

Il condannato sta morendo, è agli spasimi che spesso culminano in una erezione meccanica. Così infuria la morte dentro il corpo giovane. Il cuore spinge i colpi terminali, il sangue resta ingolfato al centro, il fiato esce per non ritornare, spedito via come un saluto.

Il giovane corpo smette di resistere alla pena. Il collo non regge più il peso della testa che scende sulla spalla sinistra sopra il cuore. Lo scultore ricorda i corpi dei coetanei uccisi, l'ingorgo di circolazione che si manifesta con la morte. È l'ultima volontà del sangue, che ne ha molta.

In una statua si deve intravedere il sangue. In questa le vene sono gonfie fino all'impossibile. Qui sta raffigurata la morte di un atleta sotto sforzo.

La sua bellezza è tale che un tribunale di donne non l'avrebbe condannato. Non per il desiderio di abbracciarlo, ma per rispetto della perfezione. Sarebbe stato assolto per ammirazione.

Non è previsto dai codici, ma si applica lo stesso. Al liceo artistico ascoltavamo con entusiasmo l'assoluzione di Frine, modella di Prassitele, accusata di empietà e denudata nell'aula del tribunale di Atene, a prova di innocenza.

Faccio una fotocopia della pagina con la fotografia, annata 1921, giorno 24 dicembre. Alla vigilia di Natale lo scultore invita la stampa locale a una visione privata. Sa già che la statua sta per essere guastata dal panneggio. Toglie il lenzuolo.

Il cronista riferisce che fu attesa l'ora del tramonto, per l'effetto di luce arrossata sopra il marmo. Prese aspetto di carne, le ombre mossero le forme.

Passato il momento perfetto si accesero candele a illuminare la fine compiuta.

Il cronista ammette l'emozione e scopre per la prima volta, scrive lui, che una scultura ha bisogno di una sorgente di luce, una sola, per occupare spazio.

Vado dal prete, ma prima entro nello stanzone della statua. Comincio a immaginare i dubbi dello scultore circa la forma della natura. Doveva sopportare l'incrocio degli sguardi, l'avvenimento storico del ritorno di un crocifisso alla sua nudità.

Aveva freddo? Di sicuro era agitato da brividi, perdendo insieme al sangue anche il calore. Aveva sete per l'emorragia. Aveva resistenza, durò a vivere più degli altri due.

Aveva da dire qualcosa: di perdonare loro, non i due condannati, ma tutti gli altri. Chiedeva alla divinità di assolvere gli assassini. E lui? Li aveva assolti ma non gli bastava. Doveva ottenere il perdono supremo.

La sua richiesta soffocata dal poco fiato della posizione compressa del torace, salì come un vapore.

Prima di lui nessuno si era esposto sul limite di una simile richiesta: perdonare loro. Queste parole innalzano la sua morte a sacrificio. Senza di loro la croce resta il palo di supplizio di un innocente.

Ricordo un episodio scritto da Primo Levi in testimonianza di un condannato all'impiccagione nel cortile del campo di concentramento, alla presenza forzata di tutti i prigionieri. Nessuno di loro ha il permesso di abbassare la testa, devono vedere. La guerra è quasi finita, il condannato grida in tedesco l'ultima frase: "Compagni, io sono l'ultimo".

È una diversa dichiarazione di salvezza per chi resta. Non raggiunge la forza di scavalcare le generazioni, si limita a incoraggiare i presenti. In comune hanno la volontà di rivolgersi, di lasciare detto.

Dopo le parole del crocifisso il palo diventa una rampa di lancio alle generazioni. Dovevano essere dette da quella posizione. Non funzionano da una cattedra, da un palco. Si deve salire su un patibolo per dirle.

Cerco i pensieri dello scultore, li mischio ai miei, girando intorno alla statua.

Ho preso una candela, buona idea suggerita dalla lettura della cronaca. Alla sua luce proiettano ombre pure i tendini tesi. Faccio una mossa istintiva, metto la mia mano tiepida sopra i piedi inchiodati, per un desiderio di trasmettere calore.

Il prete mi raggiunge. Subito mi fa sapere che ho via libera a eseguire. Saliamo da lui e gli do la fotocopia e la mia lente, resta a guardare fisso. Mi restituisce la lente, scuote la testa. Sento l'impulso di difendere lo scultore. Ha dotato il crocifisso di una natura potente, così è più forte il contrasto con la morte, con il suo abuso. Spinge a vestire il corpo ignudo, esposto al vento. Non per coprirgli la natura, ma per mettergli sulle spalle una coperta, avvolgere i piedi in un panno di lana. È un sentimento terrestre, non c'entra niente con la fede, con la devozione per l'immagine sacra.

Mi ascolta, allora proseguo. Questa mossa di affetto proviene diritta dalla natura esposta. La nudità agita le fibre più antiche della compassione. Vestire i nudi è prescritto in una delle opere della Misericordia studiate a catechismo. Cos'è la misericordia che provo davanti a questa figura?

È una spinta improvvisa dentro il sangue. Questa misericordia non proviene da nessuna richiesta. Non è la carità di una elemosina calata su una mano aperta. La figura non mi sta chiedendo, non si sta muovendo verso di me. È il mio impulso che supera la distanza di spettatore e mi fa avvicinare.

Non la conoscevo prima di ora. La imparo in questo momento. Ho accompagnato persone all'attraversamento di un confine. Non c'entra la misericordia, loro chiedevano, io rispondevo. È bastata una fraternità.

Il prete continua a sentirmi, intanto prende una bottiglia di vino e due bicchieri. Versa il mio fino all'orlo. È usanza da operai. Se offri vino, riempi il bicchiere. Sono i signori a versarne poco. Loro non bevono, sorseggiano. A un operaio se offri, versa fino a traboccare.

I preti hanno le mani lisce da impiegati, le sue no. Da dove vengono, chiedo, da una missione in Africa, dice. Dove? Mozambico. Risponde per cortesia e per chiudere, vuole che io prosegua. Beviamo un sorso, poi rispondo alla sua domanda.

"La provi per la prima volta questa misericordia?" La imparo davanti a questo crocifisso nudo.

"Non prima per un corpo vero?"

Non così forte: esistono libri che fanno provare un amore più intenso di quello conosciuto, un coraggio più scatenato di quello sperimentato. Dev'essere l'effetto che fa l'arte: supera l'esperienza personale, fa raggiungere al corpo, ai nervi, al sangue, traguardi sconosciuti. Davanti a questo moribondo nudo si sono commosse le mie viscere. Mi sento un vuoto in petto, una confusione di tenerezza, uno spasmo di compassione. Ho messo la mano sui suoi piedi, per riscaldarli.

"Non avevo badato prima a una differenza tra carità e misericordia. Le sue sette opere si compiono senza il bisogno di una richiesta."

Gli dico che mi è capitato di fare almeno una volta una di quelle azioni. Non le chiamo opere. Ma non posso accostare quelle mosse alla reazione verso questa immagine. Quelle le ho dimenticate, questa non potrò, perché scatenata dall'opera dell'arte.

Il prete si alza, va ai fornelli, accende la fiamma sotto una pentola. Mi offre di restare a cena. Mi alzo, dico che sono in pensione all'osteria del molo peschereccio.

Conosce la padrona, sa dei suoi prezzi buoni. Mi dice di cominciare al più presto con il distacco del panneggio.

Torno con gli attrezzi e inizio a scalpellare la copertura. È un granito che si stacca a schegge. Sta ben ancorato ai fianchi, con un po' di vuoto sul ventre magro. Infilo lo scalpello in questo spazio e con i giusti colpi spezzo e tolgo. Ne resta sulle ossa del bacino e sopra la natura.

Cerco di salvare ma il panneggio ci sta ancorato sopra. Batto di scalpello tutto intorno e i colpi mi rintronano nel corpo, come se scalpellassi il mio bacino.

È solidarietà maschile, mi dico per proseguire. Riprendo e l'effetto continua. Me lo devo tenere. Colpisco e risento il rimbalzo. Scalpello intorno per indebolire il granito. Si è staccata così la donna che mi è stata compagna, con un colpo netto alla fine. Le mie viscere continuano a rispondere ai colpi.

Una martellata penultima avvisa del cedimento del blocco. Colpisco piano e il pezzo intero si stacca, lo fermo sulle braccia per non farlo cadere. Lo poggio in terra.

Si è tolto portandosi dietro quasi tutta la natura coperta. Guardo la forma data dallo scultore alla morte in quel punto. Una vena in rilievo corre fino in cima alla natura bianca. È circoncisa.

Mi tolgo il maglione di lana e ci avvolgo dentro il blocco staccato. Lo porto al mio alloggio.

Mentre cammino col suo peso, ritorna nel braccio il peso della valigia della donna che accompagnavo alla corriera. Mi spronava a ottenere di più.

Non è carattere mio farmi avanti, dimostrare. Stare con lei è stato il traguardo massimo raggiunto dalla mia carriera di uomo.

Lei mi considerava migliore e maggiore di quanto facevo. Scriveva di me alle gallerie d'arte mandando foto delle mie composizioni di pietre e legni raccolti e messi insieme.

Riuscì a organizzare una mostra, pagando di tasca sua la stampa di un catalogo. Ottenne una segnalazione su un giornale nazionale.

Mi spingeva a farmi valere. A me importava starle vicino, andare insieme per boschi e pietraie a cercare forme, immaginare che farne.

Era competente di arte, mi metteva a paragone con artisti che non conoscevo.

“Se tu abitassi a Milano avresti le sculture nei musei.”

Se abitassi una grande città, rovisterei tra i bidoni della spazzatura invece che in montagna. Non accettava le mie reticenze. S'indignava contro di me, in quei momenti era incandescente.

Di sé diceva di non aver nessun talento artistico, ma di essere in compenso infallibile nel riconoscerlo negli altri.

Non sono un artista.

“Di più di un artista, tu sei un artefice. Uno che forza i bordi spellandosi le mani per aprire un passaggio nuovo. Capisco che devi essere umile, ma non oltre l'umiltà. Invece sei dimesso, rinunci, ti sottrai al dovere di farti conoscere.”

Mi portava ai musei, viaggiavamo con il suo stipendio di insegnante. Mi informava sull'arte recente, sull'architettura. Imparavo nomi che ho dimenticato. La seguivo per assecondarla. Ai concerti di musica moderna la spiegava a me che conosco solo canti di montagna.

Per lei erano cose importanti, le davano entusiasmo. Arrancavo dietro nei musei, che mi stancano perché si cammina troppo lenti, ci si ferma ogni tre passi a leggere il titolo di un quadro, di un pittore. I musei hanno la scomodità per me di essere in piano. Mi andrebbero meglio con salite e discese, passaggi stretti, balconate dove starmene affacciato a guardare lontano.

Tenevo per me queste balordaggini per timore che mi mandasse al diavolo.

Lo ha fatto, ho solo rimandato. Lei voleva. E io amavo la sua volontà, sapendo che la stava sprecando con me. Volontà di migliorare, di dare valore a quello che facevo, convinta che ci fosse quel valore da dovere incoraggiare.

Non c'era. Glielo posso dire ora che non ascolta. Non c'era niente in me che valesse il suo impegno. C'era la mia fortuna di vivere con lei e farla durare.

Iniziò a smettere. Si tagliò i capelli, era più bella. Tolse le scarpe coi tacchi alti, era più bella. Smise di truccarsi, era più bella.

"Resto se decidi di diventare per il mondo quello che sei già."

Non lo so fare.

"Non è vero. Tu hai un sacro rispetto per quello che sai fare, ma l'orgoglio maledetto di non doverlo dimostrare. Tu pensi che la fortuna dovrà sottostare alle tue condizioni, venirti a pregare come faccio io. Guardami bene, sono io la tua fortuna e ti sto lasciando."

Era collera, esasperazione per la mia inerzia. Era la fine dello sforzo di trascinarmi.

Avevo cominciato a fare i primi attraversamenti, senza dirglielo per non provocare rimproveri per le mie distrazioni dai compiti dell'arte. Per lei quello era il sacro, il resto profano. Quando lo seppe, disse che aveva vissuto con un artista e non voleva vivere con un contrabbandiere.

Mi guardo le mani svuotate dalle sue, impugno martello e scalpello per bisogno di tenere qualcosa. Mi metto a scolpire un tronchetto, colpisco finché non riesco a reggere i ferri. Respiro col naso, la bocca serrata nel morso dei denti tra loro.

Mi dico che ho avuto la pioggia sul campo e mi sono inzuppato di quella finché c'è stata. Non serve guardare le nuvole adesso, adesso si deve guardare per terra. Mi dico qualche buona ragione, nessuna mi serve.

Giocavamo alle carte, ero esperto a contarle, vincevo più spesso. Quando vinceva lei era carnevale, mi prendeva in giro, diceva che mi ingrugnavo per la sconfitta.

"Non sai perdere."

Non rispondevo, però zitto pensavo il contrario. Lo so fare, so perdere tutto.

Adesso che non c'è, glielo dico nel buio. Avevi ragione, non so perderti. Continuo a strepitare in cuore come un pollo strozzato.

Non succede due volte di essere amato con l'intensità di una missione. Non succede a molti di noi neanche una volta.

Senza di lei si è staccato pure il desiderio. Due donne accompagnate oltre confine si sono offerte di pagarmi con il loro corpo. Ho accettato dicendo che avrei riscosso il loro debito dopo l'attraversamento. Hanno visto che poi restituivo i soldi e che non c'era il debito. Avevano pagato abbastanza per arrivare fino a lì.

Ora evito di guardare le donne che incrocio per la strada. Sono diventato neutro, meno che astenuto. Dev'essere per questo che mi sento adatto al compito assunto. Si tratta di aggiustare un pezzo dell'anatomia, senza il valore del piacere.

Porto al prete il blocco distaccato, gli chiedo se devo continuare, visto il dettaglio. Si sta consultando con il vescovo, mi invitano al colloquio.

Incontro un uomo della mia età, più pallido e più magro. È la prima volta che mi rivolgo a un vescovo, chiedo se devo chiamarlo Eminenza.

"Lasciamo stare i titoli. Stanno davanti a una persona come l'asino davanti al carico. Veniamo a noi. Lei si rende conto che questa è materia sacra. Crede di poterla trattare come tale o per lei è una scultura e basta?"

Le parole del crocifisso sono sacre, rispondo, il suo corpo no, ha dovuto nascere e morire come ogni organismo. Ora avete davanti a voi il dettaglio della nudità originale. Aspetto la vostra decisione.

"Quel corpo che per lei non è sacro, lo diventa sulla croce, trasformata in oggetto di devozione. Le chiedo se non le sembra eccessivo il dettaglio dell'irrigidimento."

È appena un accenno e coincide con gli spasmi finali. Non è un dettaglio, è il culmine del supplizio. Mi permetto una domanda, se intendete esporlo o no. Per me fa differenza. Se resterà una figura segreta, il lavoro perde per me importanza. Mi scuso della sincerità, che con il prete abbiamo stabilito di scambiarci.

"Ora sta parlando da portavoce dello scultore e non è il suo caso. Lei è un valente artigiano, non si prenda per autore."

Ha ragione, finora ho riparato nasi, dita, anche una mano. Qui si tratta del centro della statua dove si fisserà l'attenzione. Proprio lì la vita manifesta l'ultimo segnale. L'incarico che mi state affidando non è quello di aggiungere la protesi a un mutilato, ma di completare un capolavoro. Recuperando l'originale lo scandalo è sicuro.

Il prete ascolta il dialogo senza segno di partecipazione. È una giornata piovosa, sui vetri scivolano gli scrosci. Il vescovo è anche lui di America Latina, non è un funzionario di apparato. È stato in prigione durante la repressione di una rivolta contadina.

"Lei è credente?"

Non nella divinità, credo in qualche rappresentante della specie umana.

"Cosa intende per sacro?"

Quello per cui una persona è disposta a morire.

"L'uomo della statua lo considera sacro?"

La ragione per la quale accoglie il sacrificio senza ritrattare, quella ragione è sacra.

"Allora vada avanti con l'opera. Non posso promettere che verrà esposta in un luogo sacro, non sono il proprietario della decisione. Posso dirle che con quest'opera l'artista è destinato a diventare un nome venerato quanto quello di un maestro del Rinascimento. Intorno alle sue poche sculture si concentrerà l'attenzione della più autorevole critica internazionale. La Chiesa ha un buon ufficio di stampa e propaganda che contribuirà a questo riconoscimento. Sono stato incaricato di affidare il restauro alla persona adatta. Ho esaminato numerosi artisti selezionati dal nostro amico prete, ma cercavo un uomo con una vicenda, con delle caratteristiche al di fuori della qualità artistica. La notizia dei suoi accompagnamenti oltre confine è arrivata anche qui. L'opera sarà esposta nei musei. La Chiesa darà il suo consenso, ma non so dirle se la ospiterà nel suo spazio."

Guardo la finestra alle sue spalle. Con questo tempo non accompagnerei nessuno a scavalcare i monti. Mi viene in mente una domanda, a che altezza si trova Gerusalemme.

"Circa ottocento metri."

Chiedo se nevica.

"Quasi ogni inverno."

Mi passa per la testa di conoscere la temperatura di quel venerdì di supplizio, tra marzo e aprile. Il corpo si è scaldato salendo sulla collina col bagaglio del legno sulle spalle. Poi issato immobile all'aria, al vento, aveva freddo. Gli spasmi di agonia sprecavano l'ultima caloria.

Dico questi pensieri ai due uomini. Aggiungo che non desidero essere nominato come restauratore.

Il vescovo ha seguito lo zigzag delle mie frasi, guarda il prete che annuisce alla richiesta. "Lei rivelerà la nudità di quel corpo e vuol coprire il dettaglio del suo nome?"

È così, non sono un artista, la firma è fuori luogo. Non resta il nome di chi ha applicato il panneggio, non resterà il nome di chi lo ha tolto.

Chiedo di spegnere il riscaldamento nello stanzone della statua. Per avvicinarmi all'intenzione dello scultore: credo che abbia lavorato a temperatura esterna.

Il marmo della croce è liscio, levigato, non quello del corpo che accenna alla pelle d'oca. Anche questo contribuisce al desiderio di scaldarlo.

Stringo la mano al prete, il vescovo invece mi fa un segno di benedizione.

È gennaio, passano nuvole a brandelli. Il sole si infila negli spazi e chi ci passa sotto si trova raggiunto da una premura. Vado a camminare sulla spiaggia, ho il tascapane per raccogliere gusci di molluschi, legni imbiancati. Cammino scalzo, le piante dei piedi ricevono il massaggio dei passi.

Il crocifisso non vide il mare. Stava coi pescatori di lago, che sono circondati dai bordi delle rive. Fa bene agli occhi una distesa davanti senza fondo.

È la prima volta che sto accanto al mare. Ho letto l'*Odissea* e i libri di Stevenson, l'ho visto al cinema con *Moby Dick*, ci metto i piedi dentro per la prima volta. Lo credevo fragoroso invece è un pascolo, le onde sono lente, vengono in fila come le mucche al rientro in stalla. Mi porto dietro la montagna. Guardo il mare e anche bado alla ghiaia di sassolini che strofinano le piante dei piedi. Me li bagno, è freddo ma meno di un torrente.

In cima a un cocuzzolo posso vedere lontano, l'orizzonte sta sopra il traguardo di salita. Ma qui l'orizzonte si abbassa al livello del mare. È sgombero, aperto senza salire un metro.

Raccolgo una conchiglia, a forma di orecchio. L'accosto al mio, dicono che si sentono le onde. Non è il suono che mi sembra. L'effetto è l'eco di una cisterna, ripete il fruscio che sta dentro il mio orecchio, lo scivolo dei suoni in un labirinto.

Con l'altro orecchio sento amplificato il risciacquo dell'onda sulla ghiaia. È il suono più antico del mondo, è qui dalle età della terra. C'era quando nessuno poteva sentirlo. Ci ha messo i milioni di anni prima di infilarsi in un udito. Sono pensieri che salgono dai piedi scalzi sulla ghiaia di confine tra la terra e il mare.

A dormirci vicino, chissà quali sogni si fanno. Dentro i miei rotolano valanghe, il fulmine incendia l'albero, batto con l'accetta un tronco che non cede, mi azzuffo con un orso che continua a uccidermi.

Deve stare nei sogni la differenza tra chi vive coi monti e chi sta vicino al mare. E quelli delle città gremite? Decido che si sognano tra loro.

Ci sono pescatori sulla riva, piazzano due, tre canne, aspettano seduti. Passo dietro di loro. Soffia vento da terra che aiuta le esche a spingersi nel mare.

Una donna passeggia con un cagnetto che corre all'impazzata, abbaia alle onde. La incrocio, non porta occhiali da sole, perciò le sorrido. Lei corrisponde, si ferma, chiede se sono io. Ha visto la faccia su un giornale e un servizio alla televisione sugli attraversamenti. Chiede che ci faccio al mare. Sverno. Quella pubblicità ha attirato l'attenzione delle autorità, finiti i passaggi.

Ci mettiamo a parlare, ci sediamo sulla rena. Il cagnetto si sdraia ai miei piedi. Lei si meraviglia, io no, piaccio ai cani, fiutano l'odore dei boschi sui panni.

Le mostro i pezzetti raccolti, quello che ci faccio. Chiede di indovinare la sua attività. Provo: astronoma, scacchista, biologa marina.

"Niente di meraviglioso, organizzo viaggi."

Senza andarci.

"Qualche volta serve la presenza."

Siamo colleghi, dico per scherzo.

"I miei sono ricchi, i tuoi poveri."

Grazie del tu, una cortesia da parte di una persona giovane. Quelli che accompagno hanno denaro, devono pagarsi ogni piccolo spostamento. I poveri non possono scappare.

"Allora la differenza sta nella destinazione, i miei clienti sanno tutto prima."

Quelli che porto non sanno il percorso, ma il traguardo sì. Sono impauriti e coraggiosi, incerti e inarrestabili. Uno della Guinea-Bissau ha viaggiato in una stiva nascosto dietro una gabbia di leoni. Lo hanno accolto bene, strusciandosi contro le sbarre per essere toccati. È sbarcato a Napoli, dove non facevano caso alla sua pelle.

Parla di viaggi, camminiamo sulla spiaggia fino al primo buio. Andiamo a casa sua a lasciare il cane. Mi invita a salire, aspetto in strada. Andiamo al cinema, poi al porto a mangiare calamari fritti. Le piace il mio tono di voce. Gli uomini la impostano per rendersi interessanti. "Gorgheggiano la loro virilità, tu no. Parli da persona a persona, non da maschio a femmina. Non vuoi sembrare interessante. E non sorridi, però hai le rughe ai lati degli occhi."

Non sorrido, non ci penso.

"Per sorridere ci devi pensare?"

Il sorriso è un pensiero, mi sembra. Sorride lei. Stiro gli zigomi, stringo gli occhi, ma non è un sorriso. È la contrazione difensiva della faccia quando scalpello. Faccio sculture, dico.

"Gli scultori non sorridono?" chiede sorpresa della mia spiegazione. Mangiamo rotelle di calamari guardando il porto. Le barche da pesca oscillano nel vento, fanno un rumore sommesso di funi e di ingranaggi.

C'è calma di paese, di gente in casa, coi fornelli accesi. Incrocio le dita intorno al bicchiere. Lei mette le mani sopra.

"A volte ho desiderio di tenere tra le mani un albero. Ho l'impressione di sentirgli scorrere la linfa. Non ti offendi se ti tratto da albero?"

Tiro in petto un respiro e lo soffio sulle mani riunite. Le sfilo dal bicchiere e dalle sue. Vuole pagare il conto. Facciamo a metà. L'accompagno.

Vado al mattino presto intorno alla statua. L'incasso della croce nel suolo doveva prevedere un metro di profondità, ben inzeppato a sassi, per non farla oscillare o cadere.

Sarà stato un legno fresco di taglio, appena sfrondato e scortecciato. Lo scultore lo ha voluto liscio in contrasto con la pelle del condannato, ruvida di freddo e di ferite.

Che ne facevano del legno, dopo? Lo usavano per altre esecuzioni? Mi spiace non sapere cose elementari, la sua specie botanica. Il crocifisso lo ha riconosciuto, era del mestiere. Avrà provato un po' d'intimità con l'odore, i nodi del tronco, un ricordo di bottega.

Avrà pensato ai chiodi piantati per molti anni, i più difficili quelli nel castagno. Ora i chiodi fissavano lui. Mi mancano notizie da cronista.

Inizio a riparare i punti danneggiati dal distacco, li pareggio con vari strumenti, infine con la carta abrasiva. Fa freddo, mi scaldo con quello che fanno le mani.

A sera vado a cena, mi siedo vicino all'operaio algerino. Gli racconto del restauro del crocifisso. È mussulmano, l'Islam lo riconosce profeta. Succedono vite e morti difficili ai profeti.

Anche l'Islam ha usato atroci pali da supplizio. Parliamo di quanto male la specie umana ha inventato per se stessa. Nessun animale si avvicina al nostro peggio. Nessuna creatura vivente ha immaginato il supplizio della impalatura. L'abilità del boia consisteva nel prolungamento dell'agonia.

Per un momento interrompiamo i bocconi, ci guardiamo, mettiamo giù gli occhi. Solo poco tempo fa avremmo assistito in piazza a quelle esecuzioni senza distogliere lo sguardo. Stabilite dalle autorità: basta questo a dare piena regola.

Lui dice alla fine: "Preferisco i tempi di adesso".

La piccola opera da eseguire si va impossessando dei miei sensi. Vedo le cose intorno attraverso la sua feritoia. La ripulitura del distacco è più laboriosa. Devo fare a mano, metto una lampada frontale per controllare quello che rimuovo.

Strofino intorno ai fianchi, ore di attrito muto, mi avvinghio al suo corpo come un rampicante. Leggo nelle pagine di Giovanni che si paragona a un rettile.

"Come innalzò Mosè il serpente nel deserto, così bisogna che sia innalzato il figlio di Adàm." Mosè mise un serpente di rame su una pertica per antidoto al morso dei serpenti nel deserto. Chi alzava gli occhi all'immagine, guariva. Così lui doveva essere sollevato in cima al palo, a scopo di salvezza.

Cerco chi può spiegarmi l'accostamento di se stesso a un serpente, animale di cattiva reputazione. Un'anziana donna che abita allo stesso pianoterra s'intende di quelli incontrati in sogno. Mi fa un catalogo di casi.

"Se ti compare innanzi e non ti fa niente, è avviso di guadagno. Se ti morde, è buona salute e guadagno doppio.

"Se l'ammazzi, il guadagno va a pezzi.

"Se sei tu a vederlo, una persona ti sta aiutando. Se è velenoso, sei tu che devi dare aiuto.

"Se lo calpesti, scoprirai un inganno.

"Se sei circondato, non ti devi vendicare."

Il serpente è un argomento popolare, ognuno ha avuto il suo. Il prete ne ha fatto esperienza in Africa. Nel villaggio dove abitava si sentiva spesso il grido di avvistamento. Si interrompeva il lavoro per uccidere il pericolo.

"Nel ricordo a distanza, penso che quei serpenti cercassero un accordo con gli uomini. Poter vivere della caccia ai topi che abbondano nei nostri insediamenti, senza disturbare. Ma i bambini mettono le mani ovunque. Un uomo non solleva una pietra per vedere cosa c'è sotto, non mette le mani in una catasta di legna senza un attrezzo. Per i bambini si uccidevano i serpenti. Mi resta nel ricordo il dispiacere di quando sentivo il grido dell'allarme."

Gli chiedo come interpreta il paragone di Gesù con il serpente.

"Quello di Mosè guariva chi alzava lo sguardo all'insegna. Gesù si attribuisce la stessa capacità di risanare dal morso, quello dei peccati. La spiegazione è di sant'Agostino, non mia."

A cena rivedo la donna della spiaggia. Come mi ha ritrovato? Mi aveva fatto una fotografia e con quella ha chiesto in giro. Mi invita a accompagnarla a mangiare in un altro posto. Volentieri, rispondo, ma vicino, ho appetito presto la sera. Guida verso la collina.

Chiacchiero dei miei orari anticipati, ho succhi gastrici settentrionali, alle sette di sera vogliono prendere servizio. Mi pizzica il naso il suo profumo di bergamotto. Apro il finestrino, la sera è fresca, lei dice fredda.

Ci si allontana, lo stomaco brontola. Mi informa: "Siamo arrivati".

Scendiamo gradini entrando in una cantina di tufo arredata con tovaglie bianche sui tavoli e spoglia alle pareti. Ha prenotato. Sapeva che avrei accettato?

"Sarei venuta lo stesso."

Ci sono quattro bicchieri davanti al mio posto, cerco di capire qual è quello dell'acqua. Lei sceglie le pietanze. Il cameriere è vestito con l'eleganza di un testimone di nozze.

Loro parlano, mi guardo in giro, tocco le posate, rivolto il piatto decorato a mano. Dovrei capire cosa ci vede questa donna in un attaccapanni come me.

Dopo il primo bicchiere di vino sceso nel mio vuoto, le racconto a ritroso quello che sto facendo, cominciando dalla conversazione sul serpente.

È interessata, mi consiglia di chiedere il parere di un suo conoscente. Non è uno zoologo, è un rabbino. Nell'Antico Testamento il serpente è frequente. L'involontaria rima la diverte e la ripete: "Il serpente è frequente".

Mi racconta il suo. In un giardino in Arizona ha visto acciambellato a un metro di distanza un serpente a sonagli. Non vibrava la coda, non si muoveva, era di colore simile al terreno. Lei stava guardando un albero di limoni. Ne ha avvertito lo stesso la presenza, girandosi.

Al posto del panico le è venuta una calma immobile. Neanche il rettile si è mosso. Poi lentissima, a centimetri, ha spostato il corpo. Il serpente è rimasto a guardarla.

"Ho paura dei rettili, non capisco perché non in quell'occasione di poca distanza."

Perché eri in un giardino, le dico. Da Eva in poi è risaputo che una donna accanto a un albero e a un serpente sa cosa fare.

"Non capisco se sei saggio o balordo."

Sono anziano, una via di mezzo tra il corpo e la sua ombra.

"Al contrario mi sembri molto corpo e niente ombra."

Dalle mie parti ombra è un bicchiere di vino. Ne bevo un altro, rosso sbiadito. Non so che pesce mi trovo nel piatto, insieme al sugo.

Ai tavoli vicini si siedono altre coppie. Sembra che i dispari qui non sono ammessi, le dico.

"Vorrei fare con te la traversata dei contrabbandieri."

Non chiedo perché. Immagino che voglia proporla meta turistica, verificare se praticabile.

Non chiedo perché, non sta bene chiedere a una donna il suo perché. È meno sconveniente chiedere l'età, invece dei motivi. Costringe a inventarne uno. Parlo a me stesso mentre aspetto di rispondere. Ho una opposizione interna: non ho accompagnato il giornalista, perché devo farlo con lei? Il contrasto interno mi dura un silenzio ingombrante. Risolvo con un compromesso.

Si può fare in tarda primavera, secondo la neve accumulata in inverno.

"In inverno è impossibile?"

Diventa alpinismo. Chiede notizie di lunghezza, ore, dislivelli. Resto vago: cento metri ripidi sono peggio di cinquecento su pendio.

È stata in Himalaya, accompagnando escursioni. Racconta l'Island Peak, seimila metri, la sua cima si affaccia davanti alla gigantesca faccia sud del Lhotse.

Sei più alpinista di me, le dico.

"No, ci sono andata con le guide, agganciata alle corde fisse fino in cima."

Racconta di aeroporti a pista corta tra quei monti. Gli atterraggi avvengono in salita, l'aereo invece di abbassarsi sale e tocca terra frenando su una rampa. I decolli invece fanno precipitare l'aereo con un tuffo in giù a fine pista, poi risalgono.

Ne hai visto di mondo, le dico.

"Visto, sì, ma solo visto, il minore dei sensi. Bisogna starci nel mondo per capire qualcosa. Il tè che ci preparavano i portatori dove non c'era più vegetazione era fatto bruciando lo sterco secco degli yak. Lo raccoglievano mentre le bestie portavano il carico. A una come me serve una guida in ogni angolo del mondo per potermi muovere con la comitiva dietro. Perciò ammiro chi sa sbrigarsela da solo negli spazi aperti."

Le chiedo l'indirizzo del rabbino. Lasciamo la sala senza un accenno al conto da pagare. È una premura sua di non saldare mentre sto con lei. Grazie, signora, le dico.

"Prego, signor contrabbandiere. Ti porto a casa mia?"

Sto zitto, non ci credo che questa donna desideri frugarmi sotto i panni. "Non ti chiedo se ti piaccio. Ti chiedo se ti va."

Non ho fatto la doccia da tre giorni, dico, ma forse sono quattro. "La fai da me."

Ho appuntamento col rabbino, ci si vede al porto. È giovane, sposato, si occupa di arte moderna, astronomo per svago. Ha scoperto delle stelle.

"Si sa che il catalogo è infinito, aggiungerne una nuova non è così speciale, però quando succede mi scappa un applauso al cielo. A noi maschi non è consentito mettere al mondo una vita nuova. Possiamo aggiungere una stella al catalogo."

Chiedo se conoscere più stelle, più distanze è un aumento della conoscenza o solo l'ingrossarsi di un archivio.

Dice che noi vogliamo frugare i confini dell'universo.

Pare che non ci spetti, dico io.

"Giusto, ma non siamo liberi di smettere. Apparteniamo a una specie di accaniti."

È una giornata limpida, c'incamminiamo lungo il mare. Gli racconto l'incarico, è già informato. Conosce l'artista del crocifisso, ha visto in una casa una sua scultura di cane dritto sulle zampe posteriori, un inno alla gioia.

Ha curiosità di conoscere chi è stato finalmente incaricato di restaurare il fastidio. Lo chiamava così suo padre, sarto, quando prendeva le misure per un pantalone da uomo. Chiedeva al cliente da che parte, destra o sinistra, portava il fastidio. Aveva segnato su un quaderno le risposte più meritevoli.

Non saprei rispondere, cambio destra e sinistra anche lì.

"Sono curioso di sapere da che parte la statua porta il fastidio."

Non lo so, a causa del principio di erezione. Sbalordisce.

"Non si immischi, lasci perdere. Lei non immagina in che roveto ardente si sta infilando."

Non posso più sottrarmi, ho rimosso il panneggio, guastando le parti coperte. Come in una scalata, anche in una scultura c'è un punto di non ritorno, oltre il quale si può andare solo avanti.

"Gli rimetta il panno."

Era di granito e adesso è in frantumi.

Camminiamo controvento mentre gli racconto del mio impulso a condividere il punto di vista dello scultore: si è voluto immedesimare con il soggetto, salire con lui sull'ultimo gradino. L'accenno di erezione è il dettaglio più commovente di tutte le immagini cristiane, il guizzo della vita che si oppone. Lo scultore non ha scolpito altro, lo hanno trovato assiderato in montagna, mezzo nudo. In alte quote, non da noi, un alpinista colpito da edema cerebrale inizia a svestirsi anche in una tempesta. Crede di sentire caldo.

Nel caso dello scultore l'edema non c'entra. Si tratta di volontà d'imitazione. La statua ha la pelle d'oca.

Cambiamo senso di marcia. Siamo spinti dal vento alle spalle, le parole corrono innanzi a noi. Gli chiedo del paragone di Gesù con il serpente.

"Per noi la spiegazione sta nel valore numerico delle parole ebraiche. Non avendo i numeri arabi, abbiamo usato le lettere dell'alfabeto a rappresentarli. Una parola è anche una serie di numeri, una somma. Due vocaboli con lo stesso numero fanno coppia fissa, come succede alle rime. Ecco che la parola serpente ha lo stesso valore numerico, la stessa somma di lettere della parola messia. Lui è un ebreo istruito e sta parlando a un altro ebreo istruito, in grado di cogliere il senso del paragone. Come fu innalzato il serpente, così sarà innalzato il messia."

Per voi come per i cristiani qui succede una rivalutazione del serpente.

"Il punto è che qui quell'uomo si dichiara messia. A suo tempo non aveva lo stesso valore di punto terminale del mondo. Poteva essere un sacerdote o un re, unto di olio speciale. Messia viene dal verbo ebraico ungere. Qui succede un cambio di significato al titolo, che diventa il traguardo della storia. Qui si sta mettendo al messia una maiuscola, assente in ebraico. Lo scandalo è potente per le orecchie dei suoi contemporanei. Ha delle conseguenze politiche: se la fine del mondo è prossima, a che serve battersi per l'indipendenza, contro l'occupazione straniera? Se il messia è il sabato del mondo e oggi è già venerdì, si fanno i conti con la propria coscienza e si aspetta.

"Questa è la sua novità, insopportabile. Nessuno vuol essere contemporaneo del finimondo."

Lo ringrazio, ho ascoltato abbastanza per approfondire la mia confusione. La frase gli piace, perché poi mi dice che ha cambiato idea.

"Esegua il restauro."

Ci salutiamo con la mia promessa di tenerlo aggiornato.

All'ora di cena un pescatore porta una copia del Corano, tirata su con le reti. La consegna all'operaio algerino. Le pagine sono gonfie di acqua marina e salsedine asciugata dal vento. L'operaio le riceve con due mani aperte a vassoio, bacia la carta. Il pescatore dice che tirano a bordo ogni specie di bagaglio, anche i corpi disfatti di chi li portava. Quelli li rimettono in mare con la preghiera dell'eterno riposo.

Penso che a me non è venuto niente da dire, seppellendo i resti di chi ha tentato di attraversare da solo. Ho messo sopra un cumulo di sassi, per lasciare un segnale.

Il pescatore ha raccolto anche libri. Si meraviglia che uno ne aggiunga al minimo ingombro consentito dai contrabbandieri, togliendo spazio a un paio di scarpe, a una maglia di lana. L'operaio algerino interrompe la cena, gira le pagine e le stira. Il pescatore non se ne va, aspetta magari una ricompensa. L'operaio algerino è commosso, non dice altro che grazie.

Il nome di contrabbandiere mi fa intervenire. Penso che anche io ho ridotto il bagaglio degli attraversamenti. Dico che un libro serve da portafortuna, da compagno di viaggio, da angelo custode. Per chi lo tiene per sacro, fa anche da passaporto. Al mio paese, al confine passano uomini con quelle pagine stampate.

"Come lo sai? Sei un doganiere, controlli i bagagli?"

Non gradisce il mio intervento, sto distraendo l'operaio, non avrà la sua mancia.

Non sono un doganiere. Scontento, il pescatore se ne va.

"È il nostro libro santo. Salvato dalle acque è più santo ancora. C'è un faraone moderno che annega alla rinfusa donne, uomini, libri e bambini."

Mi parla mentre finisco la minestra. La sua si fredda nel piatto. Continua a girare e stirare le pagine, una per una, col dorso delle dita, la parte meno ruvida della sua mano. Mi dice che lui è venuto per mare da noi con quel libro nel sacco.

Nello stanzone sono imbacuccato a quattro strati, con un basco calcato sulle orecchie. L'ho preso al porto, ogni pescatore ne ha uno fisso in testa.

Levigo le parti guastate dal distacco. In contatto con la superficie mi accorgo dello stiramento dei muscoli addominali della statua, dovuti al forzato allungamento della posizione. Sotto la carta abrasiva sento le fibre accennate, invisibili a chi osserva.

Sfregando percorro le fasce sotto pelle, l'anatomia ricopiata sul corpo dello scultore e trasferita all'opera. Smusso, pareggio, elimino lentamente la traccia del panno, ingombrante pure da caduto. I fianchi sono scavati, le ossa del bacino sporgono come due parentesi. In mezzo s'infossa il digiuno di un atleta.

Lavoro ai bordi per cancellare il panno, dove la pelle della statua è scorticata dai colpi di frusta. Sulla schiena, solo in parte aderente alla croce, il cuoio ha scavato ferite a forma di fiordo. Dove il colpo è affondato, la superficie è carsica.

Viene a trovarmi il prete, incappottato. Si preoccupa del freddo, ha un contenitore di tè caldo. Sono abituato agli inverni e la levigatura mi riscalda. Il corpo al lavoro produce il calore migliore, quello che ha origine all'interno. Anche la statua suda polvere di marmo.

Gli faccio toccare i muscoli del ventre, invisibili, nelle parti nascoste dal panno. Si stupisce della perfezione. È il segno di dove si è spinta la volontà di imitazione dello scultore, prestando il suo corpo alla statua.

Il prete cita la frase di un trattato del 1400, *Imitatio Christi*.

"Che mi diventi cura, e desiderabile, in tuo nome qualsiasi prova e qualsiasi tribolazione." Commenta: "Così le pene del crocifisso diventano palestra per ascetici, esercizi ripetuti per ammirazione".

Gli dico la mia impressione, che lo scultore si sia appeso per le mani a un trave per provare il prolungato stiramento degli addominali. Si capisce da quella posizione assunta, la definizione dei muscoli pettorali della statua. Servono al corpo per resistere alla compressione del torace.

Gli mostro un punto contratto della pelle sotto l'ultima costola, dove si vede la grinza prodotta da un crampo. Qui non assistiamo a una lezione di anatomia, ma all'esperienza di una identificazione fisica tra soggetto e autore. Non ha usato modelli, non ha scaricato su un altro la sofferenza della posizione per copiarla a distanza. Voleva conoscere dall'interno. Si è perseguitato, più che allenato, per raggiungere il traguardo dell'imitazione.

Mentre parlo esce a vapore il fiato contro il freddo. È febbraio, ai vetri c'è la brina fissa. Mi versa il tè caldo, vuole che lo beva. Da parte mia capisco che sto tentando di imitare lo scultore. Il tentativo è di seconda mano, imito l'imitatore. Anche così m'infondo una temperatura sconosciuta prima.

Alla fine del giorno vado all'aperto a muovere le gambe. Le mani riposano in tasca. Ho bisogno di mettere qualche chilometro sotto i piedi. C'è vento di terra, le onde arrivano contrastate. La faccia si distende dalla smorfia del lavoro, gli occhi stretti, la bocca serrata. Si lascia spianare dalle sventagliate dell'aria, un massaggio che spreme qualche lacrima.

A sera mi ritiro a cena, mi siedo accanto all'allegra stufa a legna che scoppietta e scintilla. Si vede la fiamma da una finestrella di vetro. Mentre aspetto la pietanza mi addormento, braccia incrociate, la testa appoggiata sul petto. La padrona mi lascia riposare, conserva la scodella in caldo.

Quando riapro gli occhi per un colpo di tosse, la donna è seduta di fronte. Mi strofino la faccia, inghiotto a vuoto. Ha i capelli chiusi in un berretto di lana. Tiro un sospiro.

"Mi sono invitata."

Hai fatto bene, ti devo una cena.

Sta per partire, accompagna un gruppo che va a vedere le balene sulla costa dell'Argentina. Chiede se vado con lei, si è liberato un posto, costerebbe solo il volo aereo, quindici giorni.

Preferisco le alici, però grazie di averci pensato.

"L'altra notte mi è piaciuta la tua schiena. È senza peso sui fianchi, forte all'attaccatura del collo. Se Gesù fosse stato crocifisso a sessant'anni, avrebbe la tua taglia."

Ringrazio del complimento che mi dà un'alternativa alla scultura. Posso fare il modello anziano. Con lei mi riesce di scherzare.

La padrona arriva con due piatti. Mentre dormivo si sono parlate, si sorridono. Ascolto il suo racconto delle balene viste da vicino.

"Odorano di muschio, vengono con i piccoli a presentarli, si fidano di noi. Si muovono piano per non alzarci onde. Preferisci ancora le alici?"

No, ora preferisco le balene, quanto costano al chilo? Mi sorprendo a dire scemenze. Combinate alla faccia seria la fanno ridere. Di questo può andare fiero un uomo, del riso di una donna. Oppure ride per farmi contento, per una specie meno conosciuta di carità.

Lei prende una seconda portata, mi fermo alla prima. Il vino è quello sfuso della collina alle spalle. Lo fa la padrona nella sua vigna. Le fanno piacere i complimenti sulla sua vendemmia, più che sulle pietanze. Dille che lo fa buono, le suggerisco.

Mi chiede se mi dispiace di mangiare da solo la sera in un posto pubblico.

Sono un uomo che si può permettere un pasto cucinato, seduto a una tavola apparecchiata. Non devo neanche lavare la pentola e la scodella. Mi posso permettere la comodità grazie a un mestiere imparato a forza di fare e di guardare fare. Mi pago una cena e una stanza: di cosa dovrei dispiacermi?

Sono benedetto dalla sorte che mi ha pure offerto una salute buona. Quanti uomini al mondo se la cavano così bene? Parlo a bassa voce per non esibire la fortuna che mi protegge. Un filosofo antico raccomandava di vivere di nascosto.

"Epicuro."

Sì, quello, vivi di nascosto, a bassa voce, non segnalarti vantando la fortuna. Ho più del necessario e se qualcosa manca, non mi accorgo.

"Dunque di questo è fatto un uomo? Di quello che ha in tasca?" chiede irritata. Non un uomo, ma la sua dignità di bastare a se stesso, senza peso sugli altri. Si accorge della distanza tra il suo tono e il mio, prova a svariare.

"Allora mi accompagni gratis, anche se non sono in fuga?"

Ti accompagnerò. Non devo sapere a che ti serve. Ti accompagnerò perché lassù al confine le montagne si ammucchiano una addosso all'altra e occupano terra e cielo. Se la cava solo chi ci sa andare con la nebbia e siamo pochi. Ti accompagnerò per sdebitarmi delle tue attenzioni.

Stavolta si dispiace. Mi allunga la mano traversando il pane e i bicchieri.

Il locale si svuota, gli operai si ritirano. Ci alziamo per favorire la chiusura. Tento la stessa mossa fatta da lei al ristorante, di pagare il conto in un altro momento.

"Stasera offre la casa," dice la padrona e bastano i sorrisi a ringraziare.

All'aperto le chiedo che complimento ha fatto al vino per farci offrire la cena. "Le ho detto che le somiglia."

Bel colpo, sei una donna di mondo, ci sai fare anche nelle osterie.

"Sì, sono una donna di questo mondo. Tu di che mondo sei?"

Mi pare di questo, però non di questo tempo. Sono del 1900. Certe volte credo del 1900 avanti Cristo.

"Dev'essere così. Un uomo di questo tempo verrebbe con una donna di questo a sfiorare le balene."

Ho del marmo da accudire.

"Una materia millenaria che non può aspettare due settimane. Appunto, non sei di questo mondo."

Lasciamo stare il mondo e andiamo al cinema.

Vediamo la storia di un uomo che salva un ragazzo, un vicino di casa, straniero, con un finale a sorpresa. Mi commuovo.

"Piangi al cinema?"

Se mi porta a quel punto sì, non mi oppongo.

Lei no, guarda il film osservando le inquadrature, la recitazione, il montaggio. È attirata dalla costruzione. A me sfugge tutto, tranne la storia. Lei resta a leggere la folla di nomi dei titoli di coda, per omaggio al lavoro dei coinvolti. Imparo che si fa così.

Per la seconda volta si va a casa sua. Sul portone d'ingresso incrociamo un uomo. Sta per dirle qualcosa, si accorge di me dietro di lei, si ferma, ci lascia passare. Lo guardo con un angolo di occhio, lui evita. Odora di dopobarba. Dura un secondo o due l'incrocio.

Mentre nella sua stanza ci abbracciamo stretti, mi spunta in mente con l'evidenza di un ricordo il pensiero di farmi circoncidere. L'intenzione mi dà slancio per l'ora successiva.

Cerco un medico, un dermatologo, non per me. Ho fatto una scoperta sulla statua. Tolgo con la mano la polvere di marmo caduta sui piedi del crocifisso. Proprio lì avverto al tatto una sensazione di piccole scaglie. Le sento solo sui suoi piedi.

Mi preoccupo che l'artista si sia preso una libertà sconveniente. Che abbia immaginato una malattia, una lebbra? Come spiegarlo: perché prendeva su di sé le piaghe altrui? Allora doveva aggiungere cecità, sordità, paralisi. Anche se uno spettatore non può vedere quello che ho scoperto, devo avvertire il prete. A lui chiedo di un dermatologo.

"Un dermatologo per una statua, questa non l'avevo ancora sentita," e viene a controllare. Tocca, si soffia sulle dita e tocca di nuovo. Mi guarda e sorride.

"Non è una malattia, non è lebbra. Queste sono squame. Sta diventando pesce, secondo lo scultore." Vede che non capisco.

"Il pesce è il primo simbolo cristiano. Lo troviamo

nelle catacombe. Viene dal greco Iesus Christos teù uios soter, Gesù Cristo di Dio figlio salvatore. Le iniziali della frase in greco danno il nome ichtus, pesce. Lo scultore vede nel momento della morte la trasformazione del corpo in simbolo di salvezza."

Inizio a intendere. Prima con la pelle d'oca del freddo, poi con le squame: il crocifisso non va ammirato da lontano, va toccato. Qui c'è un'opera che si rivela solo alla carezza.

Al liceo studiai l'*Apollo e Dafne* di Bernini. La ninfa si trasforma in pianta di alloro per opporsi all'abbraccio del dio. Non vuole, ho amato il suo carattere.

Ribatte il mio gemello, il pensatore. Il crocifisso non si sottrae, rinuncia alla sua volontà, diventando l'innesto di un uomo su un albero.

Appena mi apparto in un ricordo, s'affaccia lui con le sue conclusioni strampalate. Le tengo per me, però mi fa piacere il suo interesse per questo lavoro. Per molti anni non si è fatto sentire.

Il prete m'invita a proseguire la conversazione in canonica, dove si sta al caldo.

"Questa scoperta aggiunge valore all'opera." Si congratula con me, mi abbraccia, la sua tonaca s'imbianca di polvere di marmo. Non se la scrolla. Strano scultore uno che vuole essere percepito dai ciechi.

Ci mettiamo a parlare del crocifisso.

"Credo alla verità di questa storia perché non poteva essere inventata. Credo alla sua verità che nel culmine è inverosimile e non fa compromessi con l'accettabile. Leggo i massimi scrittori e nessuno arriva alla temperatura della rivelazione. Per accoglierla non basta un lettore, ci vuole una catapulta di amore che va incontro. A quel punto si sperimenta anche il massimo timore."

Cosa c'entra il timore con l'amore?

"Se non lo sai, non hai ancora amato. L'amore raggiunto coincide con il massimo timore: di perderlo. Da prete il mio timore sta nel pericolo di perdere la fede. Non sono proprietario di questo sentimento, sono un avventizio in prova. Ogni giorno posso essere licenziato per insufficienza. Tu sei un uomo e non hai provato nell'entusiasmo dell'amore il timore di perdere la persona amata e perciò di perdere anche te stesso?"

Mi pare di no. Non mi credo capace di bastare a una donna. L'ho perduta, ma senza timore.

"Senti che dice il Cantico: 'Giardino chiuso sei tu, sorella mia, giardino chiuso e fonte sigillata'. È il massimo timore di lui di fronte a lei, restare escluso dal recinto, assetato davanti a una sorgente asciutta."

Non l'ho conosciuto questo amore. Dalla mia faccia confusa il prete crede di avere esagerato, si scusa. Non deve, imparo volentieri queste ultime notizie su un sentimento famoso.

Va a riferire al vescovo, io ritorno dalla statua. Dove la schiena in alto si appoggia alla croce, c'è aderenza tra corpo e legno. Lì il lavoro di scultura è stato difficile. Ancora di più nello stretto tra il busto che si torce in fuori e la croce. C'è spazio per infilare la mano e toccare le vertebre. Le fasce muscolari ai lati della spina dorsale mostrano la definizione di un grande allenamento.

Il suo rapporto ideale tra potenza e peso oggi lo avrebbe portato a compiere scalate. Lo scultore è stato alpinista prima della guerra, poi ha combattuto in montagna con gli alpini. Ha prestato il suo corpo al crocifisso. Questa dev'essere stata la sua vertigine, imitarlo permettendosi l'intimità di scambiare il suo corpo con lui.

Ritiro la mano dallo spazio tra vertebre e croce, dove è scolpita la curva di uno sforzo per staccarsi dalla posizione che gli schiaccia il torace. S'inarca per rubare il sorso d'aria necessario a morire.

Nella stanza di un uomo in agonia ho sentito una donna dire: "Aprite la finestra, altrimenti non muore".

Qua il crocifisso pure col vento addosso, in faccia, sta morendo di asfissia. C'è il vento, sì, i suoi capelli sono scomposti e mossi in una direzione.

Informo il rabbino dell'intenzione di farmi circoncidere. Lo scopo è avvicinarmi. Non commenta, mi dà l'indirizzo di un medico e aggiunge un suo biglietto di accompagnamento.

Incontro un uomo della mia età, prossimo alla pensione, cordiale, ben vestito. Mi spiega l'intervento e la durata della convalescenza.

Commenta la mia volontà di accostamento alla statua.

"Come se un attore che deve interpretare un personaggio mussulmano o ebreo, si faccia circoncidere per calarsi nel ruolo: un metodo Stanislavskij estremizzato."

È uno spettatore appassionato di teatro, in gioventù ha recitato in una compagnia amatoriale. Gli piaceva il dramma, l'immedesimazione con il carattere gli durava per giorni dopo la fine delle repliche.

"Ci vuole un personaggio nuovo per scrollarsi di dosso l'altro." Mi informa che l'intervento si fa con il laser.

"È l'arrivo della macchina da cucire dove prima si faceva a mano libera. Si risparmia tempo al paziente e si aggiunge precisione. In medicina le tecniche cambiano, ma solo noi che abbiamo imparato a fare all'antica sappiamo come fare in caso di guasto della macchina da cucire." Devo eseguire analisi, poi si farà in giornata intervento e dimissione, dice. Sono d'accordo, mi dimetto dalla natura precedente.

Vado a leggere in biblioteca la storia della prima circoncisione. La inaugura Abramo, come sigillo di alleanza con la divinità. Ha novantanove anni quando fa l'intervento, prima sui maschi della sua casa, poi su di sé. Nello stesso giorno che incontra la divinità, affila il coltello.

Immagino lo stupore dei servi, poi la loro sottomissione. Si sottopongono alla chirurgia sommaria del primo praticante. Il racconto sacro va svelto, non si interessa di loro. Uno scrittore avrebbe steso cento pagine tra l'ordine e l'esecuzione.

Penso al primo dei servi che si denuda, che niente sa di quello che gli accade. Il suo nome dovrebbe essere scritto e ricordato.

La statua è a grandezza naturale, il corpo è circa un metro e ottanta in stato di forzato allungamento. La sommità del palo lo supera di altri venti centimetri. Con una scala salgo a vedere dall'alto. Vedo le fasce muscolari del collo, i bicipiti stirati, i tricipiti in rilievo per la torsione.

Guardo in giù, mi accorgo che il punto di vista è panoramico, da quassù si vede Gerusalemme. È l'ora del tramonto di un venerdì, sta per entrare la sera del sabato. Si spengono i rumori in attesa del totale arresto delle attività. Lui muore appena prima, mentre l'ultima luce infebbra il bianco delle mura.

Appoggio la mano sulla sommità della croce, tocco qualcosa di inciso. Accendo la pila frontale, penso sia la firma che manca. Ripulisco dalla polvere, vedo tre segni che non conosco. Li ricopio su un foglio.

Vado in biblioteca a controllare se sono lettere greche, ma non corrispondono. Vado dal rabbino, li guarda.

"Ura, svegliati." Non dice a me.

"È l'invito rivolto alla divinità nel salmo 44. È sulla statua?"

In cima alla croce, chiedo che ci sta a fare.

"Lo scultore con quel verbo chiede al crocifisso di svegliarsi. È un invito alla resurrezione, che è la novità del cristianesimo, il suo comandamento aggiunto."

Secondo lui Ura è poi passato al grido di esultanza Hurrah! Inciso sulla croce fa diventare il legno una scrittura.

"Il corpo del crocifisso fa da ponte tra Antico e Nuovo Testamento. Per parte mia considero i quattro vangeli ancora libri dell'Antico. Il Nuovo comincia con la morte del crocifisso, con gli atti degli apostoli."

A queste spiegazioni mi sento di nuovo in miniera, nelle gallerie a lume di acetilene. Invece che carbone, sento scavare significati. I particolari si ingrandiscono come nei cunicoli a causa delle ombre del fascio di luce. Non glielo dico, magari si offende.

Gli racconto delle squame dei piedi. Mi chiede di poter vedere la statua. Devo domandare il permesso.

L'intervento è stato breve, una puntura di anestetico e meno di mezz'ora. Torno a gambe larghe, come uno che si è bagnato i pantaloni. Fa male, me lo tengo. Ho voluto la modifica e ci vogliono quattro settimane di assestamento. Ora posso dire dove porto il fastidio.

Mi procuro un bastone, fingo una distorsione. La donna è partita per le sue balene. Eccomi circonciso. Mi sento iscritto a una confraternita. Mi brucia. Ho bisogno di freddo. La prima notte dormo male, mi rivesto, esco per strada.

Vado a passeggiare a mare, scendo sulla sabbia, mi sciacquo la faccia. Penso agli attraversamenti. All'andata mi fermo a un torrente. Credono di doverlo attraversare, non vedono passerelle. Mi siedo, capiscono che è una sosta. Voglio che ascoltino il fracasso delle acque, restando in silenzio tra loro, una specie di minuto di raccoglimento. Metto la faccia nella corrente, sciacquo le orecchie.

Risaliamo il bordo del torrente fino a dove scompare. Passiamo dal rumore di acque al fruscio dei nostri passi sulle ghiaie.

Le onde vicine mi riportano a quel posto e all'ora. Cammino fino al termine della notte. Incrocio i pescatori che vanno alle barche. Un bar apre per loro. Il buio si scolorisce, l'alba inizia con effetto di solvente, poi la notte si fa sollevare come una saracinesca. Qui non ci sono galli a salire sopra un montarozzo per strillare all'oriente. Qui scoppietta il motore diesel delle barche in uscita.

Entro nel bar, mi riscaldo con un caffè lungo, ascolto le conversazioni sull'inverno e le albe che guadagnano luce. Non entrano donne. Le gole degli uomini gracchiano raschiandosi la voce con i primi buongiorno.

Spiego al prete che devo fermarmi. Le tracce del panno sono state eliminate, devo passare alla riproduzione della natura mancante. Non ho ancora trovato il marmo adatto. Gli dico che mi serve osservare statue di nudi dell'antichità, perciò vado al Museo Archeologico di Napoli. Ci sono stato nell'altro secolo a studiare le terrecotte e i bronzi di Vincenzo Gemito, dopo il liceo artistico.

A quel tempo della gioventù avevo bisogno di maestri. Mi attiravano Napoli e Parigi. Il cambio tra le lire e i franchi era umiliante, rimasi solo due giorni e una notte, conficcato nel Museo Rodin da apertura a chiusura.

Con gli stessi soldi sono stato a Napoli per un mese. Gemito non amava il marmo perché non si faceva modellare dai pollici. Le sue opere sono di piccolo formato, i critici gli rimproveravano di costringere il suo talento nelle miniature. Aveva una sua precisa sottomisura della realtà. La tradì solo con la statua monumentale di Carlo V sulla facciata di Palazzo Reale, la sua opera meno riuscita. Riveriva le autorità regali. Se ne sentiva consanguineo perché era figlio di nessuno, dunque possibilmente di ognuno, anche di un re.

Gemito aveva bisogno della cottura a forno che ripete l'impronta del sole sulla pelle dei suoi modelli ragazzini scatenati dalla miseria. Il bronzo brillava del loro sudore.

L'arte per lui era pagana, non eseguì soggetti sacri, non lavorò per chiese. Mi fa bene tornare a un tempo precristiano, alla città di nome greco, Napoli, e di pianta romana. Quarant'anni fa studiavo i piccoli soggetti ignudi di Gemito. Ora mi occupo di nudi adulti.

Ricordo quel mese. Una portaerei grigia stesa a ferro da stiro davanti a Castel dell'Ovo. Dal suo ponte schizzavano aerei a salto di cavalletta. Era teatro, cinema e fracasso di motori, l'America nel golfo.

Uno che viene dai boschi e da un villaggio si ritrova a Napoli, uscito dal vagone in mezzo alla piazza della ferrovia. Deve studiare la situazione. La difficoltà immediata sta nell'attraversamento. Osservo come fanno i passanti a raggiungere la sponda opposta del marciapiede. La corrente di automobili è continua.

Fanno così, scendono dalla riva mentre il flusso scorre indifferente a loro. Avanzano nel guado sfiorati e aggirati dalle macchine come sassi che affiorano. Procedono spediti fino alla sponda opposta. Non è che per loro si apra in due il Mar Rosso, però è un mar rosso locale, elastico, fluisce scansando il popolo in marcia. Lo incorpora e lo rimette illeso all'altra riva. Resto a guardare. Prendo stupiti appunti visivi sulla dinamica, senza decidermi all'esperimento. L'obbligo è di non esitare una volta nella corrente. Il Mar Rosso calcola l'intruso se il suo passo è deciso, ma diventa collerico e impetuoso di fronte a segni di incertezza e di ripensamento.

L'attraversamento dev'essere convinto, come quando in montagna ci si rimbocca i pantaloni al ginocchio prima di guadare un torrente con le scarpe in mano. Bisogna andare svelti per non gelarsi. Ho quasi niente bagaglio, uno zainetto che tolgo dalle spalle per mimetizzarmi. Aspetto uno del luogo che scenda prima di me nella corrente. Un vecchio capisce che non sono pratico. "Venite appresso a me."

Obbedisco con l'aderenza di un'ombra e col bastone in pugno per tenere a bada la piena. Mi vedo sfiorato da due macchine, preso in braccio da un motociclista. Mi ritrovo illeso, ringrazio e per il seguito so come fare.

Confronto la città che vedo con quella di prima. Gli uomini di colore non indossano la divisa bianca dei marinai americani, stanno invece con le loro merci stese in un lenzuolo sopra i marciapiedi.

Non sento le voci che si chiamavano da un balcone all'altro. Ritrovo il libraio Raimondo che mi procurò lo scritto di Salvatore Di Giacomo sulla vita di Vincenzo Gemito.

Mi faceva da guida per le visite alle collezioni private. Era un ammiratore dello scultore e gli piaceva l'attenzione di uno studente settentrionale venuto per condividere la sua preferenza.

Conserva la stessa libreria, piccola e con l'importante insegna Dante&Descartes. Che idea accostare i due nomi illustri?

"Dante esplora l'aldilà del termine di vita, Cartesio l'aldiquà."

Dà risposte brevi, come allora, abituate alle domande dei clienti. Lo ritrovo al suo posto con l'uguale prontezza sui titoli richiesti, pescando a memoria in un immenso catalogo mentale. La voce pure è rimasta sul semitono della cortesia.

Si ricorda di me: grande virtù dei principi, allenati dall'infanzia a riconoscere la fisionomia dei sudditi, che sono perciò gratificati dall'importanza data dal sovrano a ognuno. Sua Maestà mi conosce: i regni si sono mantenuti così, come i clienti.

All'orario di pranzo mi accompagna alla spianata davanti a Palazzo Reale. Torniamo sul luogo della prima visita, la statua di Carlo V, uno degli otto re scolpiti sulla facciata. L'ultimo è Vittorio Emanuele II, aggiunto più per obbligo che per effettiva residenza. Un abusivo a Napoli, mi commenta in testa il fratello il gemello.

Carlo V fu eseguito in marmo da uno scultore a ricalco dell'originale in gesso, lavorato da Gemito. Il risultato della copia dispiacque all'autore fino all'aggressione fisica.

Passeggiamo davanti alle altre sette statue impettite, da Ruggero il Normanno in poi. Carlo V insaccato nell'armatura emerge per l'espressione concentrata, i riccioli scomposti, di chi da sopra una scogliera si sta imprimendo l'orizzonte. Meriterebbe innanzi il mare, invece del pesante colonnato a semicerchio che mette la piazza sotto una parentesi.

Racconto al libraio lo scopo della visita ai nudi precristiani. Ha saputo degli attraversamenti, chiede se è vero che li ho fatti gratis. Ripeto la differenza, prima intascavo poi restituivo. Concorda con la precisazione, dice che è cartesiana. È il suo modo di prendere in giro, rapido e sommesso. Gli dico che sono più rischiosi gli attraversamenti delle strade a Napoli.

Suo figlio si è associato al mestiere, aprendo una libreria con lo stesso nome in piazza del Gesù. Una vera filiale, dico, sorride per compiacermi, non dev'essere una battuta nuova per lui.

Parliamo di Gemito, dei suoi soggetti infantili. La serietà sta nel sorriso finto, da commercio, del piccolo venditore d'acqua solforosa.

La nudità del corpo è la castità della miseria. Che siano i pedofili a fraintenderla, gli stranieri dell'epoca venuti a comprarsi l'abuso. Per noi l'infanzia dei soggetti di Gemito, asservita a un lavoro, è un atto di accusa. I corpi snelli di fame sono apprendisti di sopravvivenza.

Ricordiamo intatti i nostri commenti di allora, definitivi.

Lo riaccompagno in libreria. Prima risolviamo il pranzo con due sfogliatelle, frolla per lui, riccia per me.

Arrivo al Museo Archeologico, isolato in un anello di motori accesi. Nell'ingresso il loro chiasso smette.

Eccomi in un luogo sacro, un sacro estinto. Le statue delle divinità si sono disobbligate dal culto e dal commercio con la specie umana. È rimasta una regalità che non dipende dal fumo degli altari. Non stanno in esilio, sono riunite in assemblea dentro il Museo, in opposizione al dio esclusivo e unico del monoteismo. Più antiche della sua rivelazione, mantengono un sentimento di superiorità verso la divinità ultima arrivata, che fece loro il torto di ignorarle. Non provano risentimento. Sono state onorate da poeti, filosofi, drammaturghi, artisti di mosaici e di sculture. Hanno parlato le sapienti lingue del greco e del latino, abitando le viscere di vulcani, le sommità innevate, i fondali marini. Hanno abitato il mondo, non il cielo.

Con lo zaino in spalla e il bastone di sostegno all'andatura a gambe larghe, mi muovo nei saloni tiepidi e deserti. In uno di questi sta piantato uno smisurato Ercole appoggiato a una massiccia clava. È nudo come gli altri soggetti. Calcolo a occhio la proporzione tra la massa corporea e la natura: la centesima parte. Piantata al centro della statua, sta come un semaforo all'incrocio. Il visitatore maschile stima e commisura.

In una stanza incontro il busto di Epicuro. Mi fermo, inceppato nei passi dai pensieri. Con lo zaino e il bastone devo sembrare un pellegrino giunto a destinazione. Si avvicina un custode, chiede se sono un ammiratore. Subito aggiunge che lui sì, Epicuro è il suo preferito.

È sulla quarantina, i capelli spioventi sulla fronte, tagliati alla maniera della statua. Nei paraggi del Museo un barbiere si è specializzato in capigliature filosofiche.

"Vi fa barba e capelli all'Epicuro, alla Socrate, i ricci alla Cicerone. Ci andate a nome mio, vi fa lo sconto."

Su due piedi, davanti a Epicuro, mi racconta la sua vita. Ha studiato al liceo classico, poi si è arruolato volontario nell'esercito, spedito in Iraq. Poi si è dimesso, si è sposato, ha ottenuto il posto di custode. La sua passione è il gioco degli scacchi, ma da solo. Compone problemi, finali di partita. La difficoltà sta nel costruire una sola soluzione.

Ha imparato il gioco in Iraq guardando due anziani autisti locali di camion che lavoravano per l'esercito italiano. Facevano mosse veloci, pensate quasi niente. Precedevano i convogli militari, abitavano con loro. Giocavano a scacchi in ogni pausa. Sono morti su una mina.

Lui gioca in casa, i quattro figli intorno fanno il giusto baccano. Lui dice ammuina. Ha bisogno del loro chiasso per concentrarsi. Il silenzio lo distrae. Nelle sale del Museo per ore non entra nessuno. Il rumore del bastone gli ha fatto piacere. Quando è il caso, scambia una parola con un visitatore. Una parola: mi ricorda un torrente di montagna.

Mi fa domande, da parte di Epicuro, dice. Perché i filosofi interrogano continuamente i passanti, come fanno i bambini. Rispondo che sto studiando i nudi precristiani.

"Sono diversi da quelli di dopo?"

È quello che sto studiando, non lo so.

All'ora di chiusura mi accompagna all'uscita. Mi invita a casa sua. Neanche mi conosce. "Gli amici di Epicuro sono miei amici."

Ringrazio, devo cercarmi un alloggio. Ci rivedremo al Museo.

Ecco il montanaro spaesato nella grande città. Così dovrei sentirmi, invece no, mi trovo bene. Dev'essere per il contatto fisico, i gesti pure senza toccare avvicinano, fanno buon vento. Ognuno va a una sua andatura, non c'è l'effetto di stare in un moto uniforme. Uno che ha fretta, qua non può. C'è il tempo di guardarsi in faccia. Faccio lo spettatore delle facce. Il mio passo lento col bastone è accolto bene, incrocio qualche sorriso d'incoraggiamento.

Ho indovinato a venire, ho l'impressione di stare già meglio col fastidio. Trovo una pensione, prendo una stanza. Mangio una pizza con le alici e rientro. Sta in un vicolo frequentato, il bar rimane aperto di notte.

Dalla finestra vedo il movimento, la pensione fa pure servizio a ore. I clienti sono maschi, la metà vestiti da donna. Parlano poco, a bassa voce, però si muovono pesanti. I letti cigolano. Il loro rumore nel mio orecchio si trasforma in uno strepito di cicale e mi addormento.

Al mattino piove. Riconosco la pietra scura del selciato, l'acqua la illumina e la striglia. È rimasta uguale nel ricordo. Al bar bevo un caffè ristretto che è ridotto a un sorso. Ne chiedo un altro, non me lo fa pagare.

"Il secondo lo offre la casa."

A tutti? No, solo a chi pare a loro. Potenza del mio bastone, attribuisco a lui il secondo caffè. Neanche Mosè riusciva con il suo a far sgorgare caffè dalla roccia. Chiedo se restano aperti tutta la notte.

"Ci diamo il cambio, non si chiude mai, vantaggio di una famiglia numerosa. Di notte si lavora meglio che di giorno. La clientela è quieta, si beve il bicchierino, spende volentieri. Facciamo anche servizio in camera, qualunque cosa vi serve, la portiamo. Se volete una pizza, un giornale, una compagnia, ci pensiamo noi.

Voi precisate l'articolo e ve lo trovate consegnato là per là."

Ringrazio e m'incammino sulla collina di San Martino. Arrivo al Forte di Sant'Elmo, che è una rocca di tufo.

C'è stato imprigionato Tommaso Campanella, il filosofo più incarcerato d'Italia. Si finge pazzo per scansare la condanna a morte. Lo torturano per giorni per fargli confessare la finzione. Ha la forza di tenere il punto, canta perfino a squarciagola sotto il trattamento. Si arrendono lasciandolo morto a metà. Alle finzioni succede di superare l'originale. Charlie Chaplin partecipò alla gara degli imitatori di Charlot arrivando terzo.

Dai bastioni del Forte la città è una colata lavica di case che si fermano solo in faccia al mare. Il Vesuvio a oriente ha un collare di neve, è una scultura a forma di altare grezzo. La bocca del cratere ha la rotondità dei forni. I pittori lo hanno raffigurato a sversare fiamme in acquerelli. Ne compro uno poco più grande di una cartolina. Si vede uno sbocco di lava notturna, un'emorragia riflessa sul mare.

Raimondo collega il sentimento religioso della città con le eruzioni. "Lo squaglio miracoloso della reliquia sanguigna di san Gennaro riproduce sotto vetro la fusione vulcanica. Il santo è l'esorcista del Vesuvio, la sua statua è portata in processione contro l'avanzata del fuoco. A Napoli il sentimento religioso non proviene dall'alto dei cieli, ma dalle viscere della terra."

Ecco un popolo che invece di fuggire dalla parte opposta, avanza verso l'eruzione dietro il paravento di una statua. La fede infonde i più furiosi azzardi.

Mi muovo a passi lenti con il naso in terra. So camminare su terreni difficili, ma qui sento di calpestare le braci appena spente di un incendio.

Dall'alto del Forte capisco il rinnovo degli strati successivi, crosta su crosta. Chiamandola Napoli, città nuova, i Greci le consegnarono la predizione di rinnovarsi, da un'eruzione all'altra, da un terremoto all'altro.

Scendo la collina, entro nel sottosuolo al seguito di una visita guidata della città sotterranea. Dei ragazzi del quartiere Sanità hanno avviato questo servizio. Erano in mezzo alla strada e ora ci stanno sotto. Passo attraverso vuoti spaziosi come cattedrali, cave di tufo estratte dalla prima età, quand'era ancora tiepido. La città è doppia. Vista da sotto, quella di superficie sta campata in aria. Per il girovagare se ne va la giornata.

Torno all'aperto che è buio, il denso di folla stordisce dopo la discesa sotterranea. Lo stomaco vuoto è svegliato dai vapori di una friggitoria. Mi siedo e mi scotto la lingua con una pizza fritta e la ricotta dentro. In una farmacia cerco un paio di occhiali. Quelli giusti fanno emergere gli spigoli vivi delle cose intorno, senza sfumature. Fa l'effetto di uno schiaffo e me li tolgo dal naso. Li compro.

La città mi fa dimenticare la circoncisione. Potrei già fare a meno del bastone, preferisco tenerlo. Mi pare di essere accolto meglio dai passanti. Mi rende innocuo, perciò rispettabile. Rientro di notte alla pensione. Il bar è ben fornito di clienti. Al bancone gli uomini offrono da bere alle signore, poi ricevono la chiave di una stanza. Salgo le scale con una coppia, la lascio passare. Mi affaccio alla finestra e rimetto gli occhiali. Il contraccolpo dei dettagli nitidi me li fa levare.

L'effetto cicala dei letti delle stanze vicine stavolta è più forte.

Mi addormento e mi sveglia un litigio, colpi, grida, persone che intervengono. C'è un ferito, arriva un'ambulanza. Bussano alla mia porta. Un poliziotto mi chiede i documenti. Non hanno trovato nessuno nelle stanze. Gli dico che sono cliente a giornate, non a ore. Non gli interessa. Vuole sapere cosa ho visto. Niente, solo sentito, dormivo. Con chi? Da solo. Non crede. Che ci faccio? Vacanza. Come sono arrivato alla pensione: cercavo un alloggio economico. Non mi sono accorto dell'ambiente? Sì, ma non mi disturbava fino al baccano di prima. Riferisco i rumori, niente colpi di arma da fuoco. Scrive e finalmente se ne va.

L'indomani rifaccio lo zaino, la pensione chiude per ordine di polizia.

Torno al Museo. Stavolta lo percorro senza fermate alle statue. Passo tra loro concentrato su un pensiero, la differenza tra questi nudi e il crocifisso. Ci dev'essere, non la distinguo ancora.

Incontro il custode, mi saluta serio, non si avvicina. Dev'essere perché non mi fermo davanti a Epicuro.

L'eruzione ha coperto Ercolano di lava, e Pompei, più lontana, di cenere. Poi la resurrezione degli scavi ha liberato le statue dai coperchi, spargendole tra i corridoi e le sale. Hanno passato più tempo sottoterra che sopra, sono ancora spaesate.

Esco dal Museo con un'idea della loro nudità. Voleva suggerire ai corpi viventi un modello da raggiungere. Guardarle tutti i giorni convinceva le fibre muscolari all'imitazione. La nudità delle statue era il traguardo allo specchio di ognuno.

Non riesce la stessa cosa con i manichini delle vetrine, usati da attaccapanni per i vestiti in vendita.

La visita a Napoli finisce. Al sole la città è più fisica, raddoppiata dalle ombre che si strusciano sui corpi degli altri, si sfiorano, si toccano, si accoppiano. Pure l'aria densa partecipa allo scambio.

Cammino lento verso i treni, a prendere il primo che va a settentrione. Sul marciapiede della piazza un ragazzo è seduto con un libro. Davanti ha una ciotola e un cartello: "Grazie di farmi continuare a leggere". Svuoto le monete che ho in tasca, per ammirazione.

Il fastidio è scomparso, resta il bendaggio. In treno mi addormento. La città si chiude dietro le palpebre con il grido dal binario di un venditore di pizze calde.

Lo stanzone del crocifisso è gelato, il marmo sembra neve. Lo guardo e non so che farci. È pronto, ma devo trovare e lavorare il blocco della natura.

Vado a vedere le cave. La gran parte del marmo estratto è venduto sbriciolato per la carta patinata dei giornali. La sua eternità finisce al macero dei periodici scaduti. Come trasformare un ulivo millenario in carta igienica.

L'operaio algerino mi spiega che estraggono solo

maceria di marmo per cartiere. Gli scarti versati nel torrente impastano l'acqua e la imbiancano.

Da un panno toglie un piccolo blocco di alabastrino, estratto da una cava usata solo per sculture. Ha venature di senape, il suo nome preciso è travertino acquasantano. Non vuole essere pagato. L'uso è sacro e la sua religione prescrive le offerte.

Esiste un'economia del gratis, qualcosa in cambio di niente, ma a simbolo di molto. Accetto, è un blocco raro.

Gli chiedo cosa vuol dire vivere da mussulmano.

"Adorare Dio come se si dovesse morire domani, lavorare come se non si dovesse morire mai." Peccato non poter bere insieme un bicchiere di vino per onorare queste parole.

Mi dice che sono tenuto a fare un capolavoro. Come posso, rispondo, non sono brillante né magnifico.

"Chi credi di essere, se non sei brillante e magnifico? Siamo i bambini della divinità. Far la parte degli incapaci non rende giustizia al nostro creatore. Non è giusto diminuirsi, per non disturbare gli altri intorno a noi. Siamo fatti per splendere come fanno i bambini. Dobbiamo manifestare con gratitudine i doni ricevuti. Quando tu sei brillante e magnifico, incoraggi gli altri a esserlo anche loro."

E tu sei un operaio? Tu sei un predicatore.

"Sono un operaio e leggo il Corano."

Resto a bocca chiusa. Penso alla donna che voleva questo da me, respinta dalla mia inerzia. Fosse alla tavola, applaudirebbe.

"Il blocco di marmo che ti offro non l'ho preso dagli

scarti. L'ho estratto dal centro del taglio. Devi fare il tuo capolavoro."

Al porto arrivano famiglie infreddolite, partite alla rinfusa da spiagge e non da porti, da tende e non da case. Vengono sistemate in posti da ammasso, il tempo per loro di capire in che punto di mondo e di viaggio si sono inceppati.

Gli uomini sanno starsene con le mani in mano e stendere i giorni come panni da asciugare. Le donne no, non resistono accovacciate a covare l'attesa. I bambini corrono verso qualunque varco, senza paura di orchi. Ne incontro uno, dieci anni forse, mi dice una sola parola:

"Düsseldorf".

Gli faccio segno di aspettare lì. Vado a comprare una carta geografica. Torno e non c'è più. Capisco l'errore con una scossa di vergogna. Non gli serviva un'informazione, ma un passaggio. Mi sgomento della mia reazione ritardata. Ho promesso di essere brillante e magnifico: alla prima prova ricado nell'inerzia. Dovevo accompagnarlo a Düsseldorf.

Lui è arrivato fino a qua, io dovevo aggiungere l'ultima parte. Lo cerco alla stazione, non c'è. Lo avranno riacciuffato e rimesso in uno degli ammassi.

Li chiamano minori, li trattano da oggetti smarriti. Minore sono io di fronte a un metro e trenta centimetri di uomo, che non mi ha dato il tempo di ripensarci.

Mangiano un pasto, infilano un pane in tasca, un formaggino e svicolano via. Sono acqua corrente, non si può sbarrare. Se c'è un salto da fare vanno giù a cascata, se c'è un muro hanno zampe da grillo.

Düsseldorf, perché non ho obbedito all'ordine di viaggio?

Incontro un uomo che si guarda intorno. Ha circa la mia età, un cappotto che gli arriva ai piedi. Gli chiedo dove vuole andare. Alla stazione, dice. Lo accompagno e gli chiedo la destinazione. La stazione. E dopo? Dopo torna all'accampamento. È uno zingaro, arrivato ieri con i suoi, deve spedire un vaglia all'ufficio postale.

Niente Düsseldorf, ho perso quel treno.

Torno al mio alloggio. Ho ancora due ore per fare rumore coi ferri, poi devo fermarmi, per non disturbare i vicini. Dopo i primi colpi di scalpello al blocco, sento la musica di una fisarmonica. Qualcuno si esercita nelle vicinanze. Smetto di battere, la musica mi impedisce. Se continuo, il colpo di martello arriva sulla mano.

Apro la carta geografica, cerco Düsseldorf. Un musulmano di dieci anni, in tasca un indirizzo di un parente o di una moschea, oppure niente, avrà sentito il nome da qualcuno, l'ha imparato e lo ripete dal basso verso l'alto in faccia a uno stordito.

De Amicis mi commuove con il viaggio dagli Appennini alle Ande. Piango al cinema, anche su un libro e non in faccia a chi mi dice Düsseldorf. Cos'ha di meno potente la realtà, rispetto alla finzione? Non mi capisco. Sono una persona concreta, conosco le storie delle persone e piango nei posti sbagliati. Un bambino fatto uomo alla svelta in un viaggio, con tre sillabe in bocca e due occhi diritti e scuri mi ha inchiodato.

Resto svuotato con la carta geografica davanti.

Ne ho accompagnati, di bambini, alcuni in braccio ai padri, attaccati alle loro giacche. Uno l'ho portato sulle spalle. Aveva la febbre, mi ha fatto la pipì sul collo. Non se n'è accorto, dormiva.

Faceva caldo e si è mischiata al sudore.

Minori, fossi io una volta sola grande come sono minori loro. Non sono padre. Senza l'esperienza, vedo ai piedi dei bambini in viaggio le scarpe dei profeti. I loro passi annunciano il presente tra gli orchi, le uniformi, gli storditi.

Chiudo la carta geografica, avvolgo il blocco di marmo in un panno, l'infilo nel tascapane. Decido di portarlo con me, che diventi parte del mio peso.

Nello stanzone accosto il pezzo al bianco della statua. È un'altra materia, diverso il colore. Sarà evidente l'aggiunta. Ma il dono del blocco non ammette obiezioni, dev'essere questo. Sia pure inverosimile. L'incarico lo è, il mio inverno in una città di mare, l'incontro con la misericordia per una statua.

Sono uno che non sa fare domande, neanche per un'informazione. Dev'essere per questo che ignoro la fede. La divinità vuole essere bussata, interrogata. Ci vuole una catapulta dentro una persona per arrivare a questa confidenza di rivolgersi col tu.

In pochi mesi ho frequentato un prete, un operaio mussulmano, un rabbino. Nessun contatto prima, e poi tre insieme. Mi hanno fatto affacciare dai loro balconi, provando le vertigini, assenti quando scalo precipizi. Affacciato ai loro balconi guardando all'ingiù: la divinità non sta nelle atmosfere celesti, scarse di ossigeno. Sta sotto di loro, a fondamento del vuoto e del balcone.

Le parole delle loro scritture sono appigli per andare e tornare dall'abisso.

Mi vengono questi pensieri mentre passeggio col travertino dentro il tascapane. Sono pensieri che dipendono dal suo peso.

Nei giardini si spande la fioritura delle mimose. Il loro giallo sbatte contro il grigio delle nuvole e splende più che in pieno sole. Confonde il naso che sente vicinanza di vaniglia. In montagna durante il temporale l'aria sfrigola di ruggine e il suolo si prepara all'urto del fulmine. La terra è un organismo vivente, questa è tutta la fede che posso.

Torno in alloggio, tolgo le bende, lavo, evito di guardare. Porto a vedere il blocchetto di marmo al prete. Teme sia troppo vistoso per il suo colore differente.

Difendo la scelta. Sarà comunque vistoso, carico di sguardi in quel punto, il crocifisso nudo. Spesso il colore di pelle della natura è diverso dal resto del corpo.

"Ho bisogno di crederti. Quest'opera dev'essere finita e pronta per inaugurare il nuovo corso della chiesa a immagine del crocifisso. Credo nel valore sacro di quest'opera. Credo che tu sia la persona giusta per il risultato finale. L'aiuto della fede mi ha esercitato a cogliere gli accenni della provvidenza."

Vede la mia faccia incredula di poter essere parte di un disegno. Me ne ritirerei per non guastarlo.

"Esiste un piano nell'intrico dei nodi di un tappeto."

I nodi: li so fare. Li conosco. Ne penso uno, ritrovo un po' di agio.

"La scienza indaga gli avvenimenti e li suddivide tra caso e necessità. La provvidenza li contiene, fanno parte entrambi delle sue manifestazioni. Appare sotto forme accidentali, ma chi pratica la fede riconosce l'intenzione, la traccia di un progetto. Tu sei uno strumento della provvidenza in questa impresa."

Preferisco non saperlo. Conosco gli attrezzi, gli strumenti. Hanno un'impugnatura e agiscono per energia esterna. Mi sento al contrario senza obbligo e imprevedibile a me stesso.

"È bene che l'artefice non senta di eseguire un'altra volontà, diversa dalla sua. È bene pure che gli rimanga il dubbio sulla provenienza dell'ispirazione. Spesso gli capita di sentirsi posseduto."

Gli racconto di Napoli, del Museo. Lì mi è venuta l'idea che la natura doveva essere di pietra differente. Il bianco uniforme di quei corpi nudi rendeva la natura esposta una qualunque parte dell'anatomia. Non è così. È una parte diversa perché protetta. Le civiltà l'hanno coperta non per pudore, ma per difesa da urti, aggressioni, rischi. È la più vulnerabile. La nudità del crocifisso suscita l'antica pietà per la natura indifesa. Le sue mani non la possono coprire, le gambe non possono accoglierla all'interno. Lo strazio della posizione crocifissa culmina in quella parte denudata.

Mi escono parole non pensate prima. Non è vero che le statue del Museo mi hanno suscitato l'idea di un marmo di colore diverso. Mi è venuta mentre lo stavo dicendo. Ho inventato l'origine per dare un peso di riflessione a un pensiero spuntato sul momento.

Il prete prende per buona l'improvvisata spiegazione. Guarda il blocco grezzo, lo solleva all'altezza per rivederlo in diversa luce. Decidiamo di andare a cena al porto per terminare l'incontro. Davanti a una zuppa di pesce si fa raccontare di Napoli, non la conosce.

È una città di corpi che si muovono a tempo di una danza. A causa della fitta densità di abitanti, hanno imparato un ritmo per spostarsi. Li vedi e lo capisci che stanno andando dietro a un'onda sonora, un meccanismo musicale che si avvia al contatto del marciapiede.

Invento per lui un'impressione venuta rimestando il cucchiaio dentro la zuppa. Applico alla città quello che succede nella scodella. Napoli si presta a farsi pentola e marmitta. La descrivo così a lui che non c'è stato, ma che di sicuro ha notizie di episodi, leggende.

Parlano una lingua ristretta come il loro caffè, sillabe di stenografia. Se devono chiamarsi a viva voce, usano allora una melodia strascicata. I nomi vengono recitati per esteso, a vocali allungate: Fran-ci-schiel-lo-ooo!

Meglio andarci d'inverno, la città è più schietta. Non sanno fingere col freddo nelle ossa. Il prete ascolta e beve il bel mezzo litro di rosso, a me basta il quartino. La zuppa di pesce è assortita, le nostre dita tolgono di bocca un cespuglio di spine. Una gli finisce di traverso. Gli dico di inghiottire subito una mollica per spingerla giù. La mossa riesce tra le convulsioni dei colpi di tosse. Mi ringrazia.

Mia nonna diceva che a tavola si combatte con la morte. L'esagerazione serviva a calcolare il boccone, masticarlo bene prima di imbucarselo in gola. Approva e manda giù mezzo bicchiere di vino per inaugurare di nuovo il passaggio. A sentire di Napoli si stava strozzando. È una città rischiosa. Ci si cammina dentro con l'attenzione dovuta ai bocconi di una zuppa di pesce.

"Un anno, te l'ho detto, che cerco lo scultore per il restauro del crocifisso. Un anno che frequento gli svariati artisti, celebri e no, anziani e giovanotti. In comune hanno la presunzione, il rango che credono di possedere. Non ne ho incontrato uno che si sia sgomentato, commosso di fronte all'incarico. Il pensiero fisso era di collocare la commissione dentro la carriera. Pensavano per prima cosa alle righe di presentazione del lavoro, al rischio di esporsi all'osceno e perciò al ridicolo. Succede che vadano insieme. Lo scrupolo riguardava loro e non l'opera da eseguire.

"L'ultimo mi ha chiesto di mettere a contratto una sua percentuale in caso di vendita della statua. Chiedeva l'uno percento, così calcolava la porzione aggiunta. Avevo già scritto la lettera al vescovo di dimissione dall'incarico. Sei venuto tu che neanche vuoi il titolo di artista. Ti sei avvicinato alla statua come a una persona ammalata. Da medico hai chiesto di non firmare la guarigione. Che ne pensi di questa storia dal mio punto di vista?"

Non mi viene nessuna risposta. Alzo il bicchiere per chiudermi la bocca, lui prende la mossa per un brindisi.

"Alla tua natura esposta."

Alla sua, rispondo.

Al tavolo accanto cinque anziani giocano a briscola chiamata. Spiego al prete le quaranta carte e i quattro semi del gioco italiano. Per lui sono giochi d'azzardo. E il nostro, di mostrare un crocifisso nudo? Ci separiamo di buon umore.

Immorso il blocco tra due ganasce di legno per assorbire i colpi di scalpello senza vibrazioni che potrebbero danneggiarlo. Batto per delle ore, colpi di un orologio sgangherato. Sono concentrato sui centimetri davanti al naso, come quando scalo.

Seguo le venature. Scolpisco il pezzo capovolto, con la sommità in basso. Al termine della seduta levigo, anche se è inutile dovendo ancora togliere. Serve per avvicinarmi al risultato.

Lavoro sotto una coperta di lana così il rumore è attutito. Vado a colpi e fiato, colpi, fiato e nient'altro sento mentre piccole schegge si spargono tra i piedi.

M'interrompo quando le mani indolenzite possono sbagliare. Me le distendo, esco dalla coperta per quattro passi nella stanza. Rientro sotto la coperta e proseguo finché c'è luce fuori.

La fine dell'inverno stiracchia di minuti la giornata. A sera le mani sono gonfie.

"Le vene sul dorso delle tue sembrano due fiumi paralleli, un Tigri e un Eufrate che vanno verso il mare."

Cioè verso di te, rispondo. È tornata dalla visita alle balene. È scurita di pelle, schiarita di capelli. Li ha accorciati, le coprono appena il collo. Non faccio la domanda scema: li hai tagliati? In una commedia vista a Napoli al tempo giusto, uno si sta facendo la barba allo specchio. Entra un conoscente e gli chiede: "Vi state facendo la barba?". No, mi sto tagliando i calli.

La risposta mi ha bruciato le domande ovvie, perciò non gliele faccio. E faccio male. Una donna esige che si noti la diversa pettinatura, un abito nuovo. Mi rimprovera la distrazione.

Lei invece nota le mie mani gonfie, le due vene sollevate sul dorso. Parla del viaggio, di avere immaginato la mia presenza. Le impressioni dei clienti si assomigliano, lei avrebbe ascoltato le mie varianti. Dice che sono un inventore di varianti.

Mi chiede se voglio vedere immagini del viaggio. Mi spiace la scortesia ma dico di no. Stavolta non si offende, se l'aspettava.

Davanti a un'immagine sento la mancanza di quello che è rimasto fuori dal perimetro inquadrato. L'immagine alza a confine i bordi e a me viene voglia di oltrepassarli.

Siamo seduti a un tavolo di bar, vediamo il mare aspro e le nuvole caricate dal vento. Prende un tè, io un cappuccino.

"Gli uomini che bevono latte sono rimasti bambini."

Sono d'accordo, il latte mi rinnova l'infanzia per due minuti al giorno. Lo prendo intero. In montagna me lo procuro, tiepido di mungitura. Bolle alzando due dita di panna. Odora di stalla. Il latte caldo mi procura felicità immediata. Andrebbe offerto sull'altare al posto del vino. Avesse detto in ultima cena che il suo sangue era latte, non ci sarebbe stata ubriacatura in suo nome. Quel vino ha dato alla testa a diversi invasati.

Dico frasi spuntate alla sprovvista. Le dico per sentire se reggono all'aperto e non solo nel cranio. Lei non è credente. Anche meno di questo: è indifferente. Le religioni sono per lei la risposta al bisogno di sentirsi mossi da una causa importante. Per lei l'unica causa della quale siamo gli effetti è la vita, nient'altro. Cita a memoria la frase di una scrittrice:

“‘La fortuna del quadrifoglio comincia e finisce con il fatto di averlo trovato, altro non c’è.’ La religione è l’idea che un quadrifoglio significhi di più del caso fortuito di averlo incontrato nella distesa dei trifogli. La morte è un quadrifoglio, prima o poi la trovi e non c’è altro,” dice seria a conclusione di un argomento che la infastidisce.

Ci salutiamo dopo avere lasciato un po’ di spazio alla sua ultima frase. Non mi invita da lei, ci separiamo senza un arrivederci.

Non le ho fatto vedere il blocchetto dentro il tascapane. Mi piace sentire il suo peso, averne il pensiero costante. Mi affeziono. Succede qualche volta con un libro. Me lo porto addosso anche negli attraversamenti, potendolo aprire per poco all’andata, di più al ritorno. È una finestra in tasca, per cambiare l’aria.

L’ultimo letto è di Balzac, un piccolo trattato sull’arte di pagare i propri debiti. Lo scrittore spiega che l’arte consiste nel non pagarli affatto. Lo spunto viene dall’esempio di uno zio scialacquatore e gabbamondo. Fa su di me il giusto effetto contrario, mi fa rovistare nei ricordi in cerca dei miei debiti. Sono quelli insolvibili, debiti di riconoscenza: dai miei genitori fino all’offerta dell’operaio algerino.

Per la donna che voleva fare di me un artista, nessun risarcimento posso immaginare del suo tempo sprecato.

Questo mi fanno le letture, un rimbombo dei loro argomenti dentro il mio corridoio di statue. Passeggio di notte sulla strada provinciale che costeggia il mare. I passi mi portano fuori dalle luci stradali, dove ritrovo il cielo che si vede in montagna.

Il regno dei cieli, scrivono i vangeli che ne conoscono il re. Per mia incompetenza vedo invece l'anarchia, che non è disordine, ma il governo indipendente di ogni singola luce. Girano a catapulta massi, meteoriti, comete sfiorando satelliti, pianeti. Ogni tanto si disfano contro un'atmosfera rinnovando a caduta la semina dell'universo.

Dicono che così è nata la luna, un pezzo di terra scaraventato via da un urto colossale. Un filosofo greco, per aver detto che la luna è fatta di terra, si buscò in Atene la condanna a morte. Certe frasi vanno dette a tempo. Meglio non far sapere che la luna intanto e lentamente si allontana.

Pure io mi allontano nel cammino notturno coi pensieri che vanno a naso in aria.

Rientro e dormo profondo. Mi sveglia l'alzata di saracinesca della pescheria. Bevo il caffè versato nella ciotola di latte, mangio una fetta di pane con la marmellata. Sparecchio, sciacquo, lavo i denti rimasti, affilo gli scalpelli sulla mola a acqua.

Batto i colpi sotto la tenda fatta dalla coperta accanto alla finestra. Controllo il risultato con le dita. La mia natura circoncisa sta a pochi centimetri da quella che sto ricavando. La faccio a sua somiglianza.

Mentre colpisco ho l'impressione di togliere materia da un involucro di pietra intorno alla mia carne. Scalpello per rimuovere un imballaggio. Sotto la crosta di marmo c'è la mia forma. Questi pensieri mi aiutano a non sbagliare il colpo.

M'interrompo per levigare e uniformare la superficie provvisoria. Mi passano le ore sotto la tenda, non mi accorgo. Divento quello che sto facendo. Ecco che sono un paio di mani che impugnano attrezzi antichi e fanno quello che sanno meglio.

Sto scrivendo quello che mi sta capitando questo inverno. Mentre scrivo riesco pure a capire qualcosa. Lo capisco mentre lo scrivo, non il momento prima. Passo un tempo senza orario, da monaco che ricopia un manoscritto.

Completo la forma della natura al termine di non so quanti giorni. Mangio scatolette, non esco. Sono l'artigiano più lento della storia. Se stavo a bottega da un mastro e ci mettevo tanto a fare un pezzo, mi buttava fuori a pedate.

È fine marzo quando torno all'osteria del porto, il blocco avvolto dentro il tascapane. Ognuno è al posto di prima.

Saluto l'operaio algerino, gli dico che ho finito. Mi chiede se ho scolpito il foro di uscita. Mi chiede com'è venuto. È un piccolo foro di uscita.

"È una pupilla chiusa, non un rubinetto. Una pupilla che ha l'onore di produrre il seme della vita. Questo dice un nostro commentario." Mi saluta, ha finito la cena.

Una pupilla chiusa, lo ringrazio del suggerimento. Volevo mostrargli il blocco finito, rinuncio. Siedo al mio posto, la padrona mi porta il piatto del giorno, baccalà con patate. Dice che è passata la donna un paio di volte, chiedendole di avvisarla del mio ritorno.

"La devo chiamare?" Sto per dire sì, mi esce invece

la risposta no. Questo succede a chi ha un fratello gemello all'interno. A volte arriva primo all'uscita delle labbra.

Una palpebra stretta, mi ripeto, mentre mastico piano il boccone fumante. Mi accorgo di gesti miei rallentati. Per strada ho camminato lentamente, con le persone intorno che erano accelerate. I giorni di scultura mi hanno isolato, mettendomi a un'altra andatura.

Ho preso un libro con me, un saggio su Vincenzo Gemito. Lo apro, leggo. Le pagine davanti al piatto mi conservano la lentezza. Finisco ultimo cliente, allora sparecchio piatto, bicchiere e posate, porto in cucina.

Decido di mostrare il blocco al rabbino. Ci diamo appuntamento il giorno dopo al molo dei pescherecci. La banchina è sgombera, sono usciti in mare. Ci sediamo su una panca, gli consegno il tascapane. Lo apre, vede il risultato. Si meraviglia del colore, delle venature. Gli sembra un pezzo a sé, non una parte.

Nota il foro di uscita, accennato appena. Dice che in quel punto sono stato incerto. Gli dico la definizione dell'operaio mussulmano.

"È così anche in ebraico. Occhio e sorgente sono la stessa parola. Il commento del nostro maestro Maimonide spiega che l'occhio non subisce, ma governa quello che vede. È fonte di lacrime e di vita, non catino."

Un po' riesco a seguire i commenti, ma mi perdo in fretta. Devo tornare alla scultura e cambiare il foro di uscita in un occhio chiuso. Oltre la diga si agitano gabbiani sulla scia di un peschereccio. Si tuffano sugli scarti buttati dalla prima selezione del pescato. La barca entra in porto con lo strascico bianco dei gabbiani.

"Facciamo anche noi così, quando leggiamo le pagine sacre. Seguiamo lenti, poi ci buttiamo su una parola per approfondirla, non sapendo perché proprio quella. Facciamo i gabbiani, andiamo sulla scia a racimolare."

Sorride, segno che si è fatto tardi. Ringrazio del suo tempo.

Torno alla stanza, affilo la punta allo scalpello più piccolo. Intaglio più a fondo, aggiungo piccole rughe intorno.

È primavera, ho svernato insieme a una statua. Cambiando di mano agli arnesi posso dire di avere scolpito a due mani. Abbiamo finito, le mani e io, la mano di mio fratello e la mia. La sua vita travolta prosegue in me. C'è spazio in ognuno per ospitare gli assenti.

Lui non è un inquilino al quale cedo una camera. È il comproprietario della vita. In questo inverno ha preso la parola.

Vado a cena a mostrare il risultato all'operaio. Non vuole vederlo. Mi ha offerto il blocco, mi ha spinto a fare più del mio meglio e non vuole vedere.

"Sei venuto a mostrarmi l'opera. So da questo che hai compiuto il tuo capolavoro. Non ho bisogno di controllare."

Penso che eviti per pudore.

"Ho pudore per il corpo sacro della fede cristiana. Il mio sguardo estraneo sarebbe profano."

Tu non sei stato sempre operaio, gli dico.

"Ho frequentato la scuola coranica, ero lo studente migliore. Ho dovuto lasciare. L'Africa sparge la sua rena oltre il mare. La vedi dopo una pioggia, sui vetri delle automobili. Facciamo i lavavetri per cancellare le tracce. Sono un granello trasportato. Ho trovato qui il posto per cadere. Lavoro il marmo, la sua polvere bianca mi cancella il posto di partenza. Il nostro profeta dice che il Paradiso sta sotto i piedi della mamma. Per me quel posto non si trova più sulla terra. Ma non sto in esilio. Torno al mio posto cinque volte al giorno, quando prego. Il mio posto di origine sta dovunque stendo il tappeto di preghiera."

Gli guardo le mani scure ricalcate di bianco nel reticolato delle rughe, ai bordi delle unghie. Nella barba non si distingue il colore dell'età da quello della polvere. Le sue mani mandano i soldi guadagnati a sua sorella, in un villaggio dell'altopiano.

Ha intravisto il mare la prima volta quando è salito di notte sul peschereccio in un piccolo porto vicino a Algeri. A bordo neanche l'ha visto, nascosto tra le reti. È sbarcato in Sardegna, si è infilato in un camion che aspettava l'imbarco per Civitavecchia.

"Lo imparo qui il mare. Lo sento alla finestra, tiene compagnia, ma non mi chiama. Prima della cava ho lavorato su un peschereccio. Di notte il mare mi metteva nostalgia di terra."

Non credo di conoscere le nostalgie, non sento il desiderio di tornare in qualche punto trascorso. Aggiungo qualcosa di mio alla sua confidenza, per non lasciarlo solo.

"Non conosco nessuno senza nostalgia di un'ora e

di qualcuno. Sul peschereccio di notte ne avevo così tanta da far diventare voci le onde. E rispondevo in berbero, la mia lingua d'infanzia. In mare si sta stretti sopra un deserto sconfinato. Non è posto per me, va attraversato e basta."

Intingiamo il pane dentro la scodella di coccio messa tra noi due. Veniamo da paesi di entroterra e mangiamo insieme l'intruglio di pesci spolpati dalla cottura. Per pudore non bevo vino. Per pudore non chiedo da quale tempesta di sabbia proviene il suo viaggio.

"Ho imparato da voi a essere nessuno. Tengo gli occhi bassi e questo mi fa scomparire, li alzo e appaio di nuovo. Sto zitto e sono accolto, parlo per chiedere un'informazione e sono respinto. Preferite nessuno. Va bene, facciamo che non esistiamo uno per l'altro. Tu no, ti siedi, racconti, domandi. Tu sei qualcuno e fai diventare qualcuno anche me."

Il mare del porto la sera è un recinto di barconi legati, animali da tiro che ruminano al buio la loro pausa, oscillando e strofinandosi tra loro i parabordi.

I nostri occhi vanno dalla scodella ai vetri affacciati sul porto. Mastichiamo intingendo il pane. Quando ne resta poco facciamo insieme l'ultima passata. Infiliamo i cappotti, i berretti e ci salutiamo.

All'angolo svoltato c'è l'auto della donna. "Sali, ti accompagno."

Apro lo sportello, mi fermo, dico no, preferisco camminare. Allora esce, chiude, viene a piedi. Mi chiede di anticipare l'attraversamento. Almeno di andare sul posto e tentare. Camminiamo di fianco separati, il tascapane dalla parte opposta.

Dice che vuole pagarmi il viaggio, che non lo devo fare per pareggio delle sere insieme. Ci sono state perché le sono piaciuto. Non ha insistito a invitarmi perché ha sentito nel mio corpo un vuoto lasciato da una diversa donna.

"Abbracciavi un altro corpo. Io ne ero l'imitazione. Hai pure detto scusa, certo non a me."

Non me lo ricordo. Continuo a non chiedere il suo scopo. Camminiamo senza direzione, non verso il mio alloggio. Non voglio che sappia dove sto. Le devo una risposta. Le dico che m'informo sullo stato della neve e l'indomani le farò sapere quando potremo andare. Mi ringrazia, mi chiede se passo da lei la notte. Il suo fiato si sposta dal fianco e si mette davanti al mio e vicino. Lo tiro su col naso e ho un rimescolio nel fondo del bacino. È la prima reazione dopo l'intervento. Inghiotto saliva per la sorpresa. Dura il tempo del miagolio di un gatto.

Dormiremo insieme nel percorso, le risponde una mia voce spenta. Sorrido della rinuncia, la circoncisione mi assegna una seconda verginità. Torniamo alla sua macchina, ci diciamo a domani.

Sento di nuovo il peso del tascapane al fianco mentre m'incammino verso la mia stanza.

Vado dal prete al mattino, gli consegno il lavoro finito, avvolto nel panno. Gli chiedo di aprirlo dopo che sono uscito. Non vado a fare la prova sulla statua. Vedrà lui l'effetto e il risultato. Mi prendo qualche giorno di distanza. Al ritorno mi farà sapere se procedere all'attaccatura.

Spetta al vescovo la decisione. Fosse per lui, il prete, mi farebbe finire il lavoro in giornata, senza vederlo prima. Per ragioni di amministrazione mi potrà pagare a lavoro finito. Mi chiede se mi serve un altro acconto. No, quello già ricevuto mi sta ancora largo.

Le previsioni danno qualche giorno di tempo buono, c'è da partire subito. Si va con la corriera, strano che non usi la sua auto. Arriviamo di sera al villaggio deserto.

Nelle mie due stanze chiuse da mesi, il freddo si è incrostato alla polvere. Accendo il fuoco nel camino. La donna è stupita che in casa possa uscire il vapore dalla bocca.

Mi chiede se è così che passo gli inverni. Le preparo una camomilla di erbe raccolte l'estate. A letto ci mettiamo vestiti sotto le coperte, mentre la fiamma lentamente rianima il legno del tetto e del pavimento, che iniziano a scricchiolare.

Mi abbraccia alle spalle, il migliore sistema di riscaldamento. Due corpi freddi si scaldano per contatto, senza aiuto di altra energia. Gli abbracci producono calorie.

Le dico che dobbiamo prevedere un bivacco, se pensa di rientrare dopo l'attraversamento. In questo caso, la notte sarà più rigida di questa in casa. Io comunque tornerò subito indietro.

Non mi risponde, non mi fa sapere se resterà oltreconfine. Dovrò portarmi dietro tenda e fornelletto a gas.

Chiede se potrà tornare indietro in caso di sua incapacità a proseguire. Si può, ma se andati oltre metà percorso si dovrà bivaccare. Il freddo non permetterà soste. In caso di stanchezza rallenteremo, senza però fermarci. È inizio di aprile e l'inverno da noi mantiene la sua presa fino a maggio. Mi addormento col suo respiro sulla nuca.

Mi sveglio col buio, lei dorme. Rianimo il fuoco nel camino, riscaldo il pane secco sulla brace rimasta, preparo il caffè, apro una marmellata. I rumori non la svegliano. Mi avvicino, le rimetto il berretto di lana scivolato, i capelli sono stopposi per il freddo.

Si sveglia, ficca la testa sotto le coperte. Da lì sento che dice di non aver dormito, colpa dei rumori della casa. Un concerto di fantasmi, sbuffi, colpi secchi, fruscii, pure le sillabe di una lingua sconosciuta.

Dico che è la contrazione del legno dovuta al riscaldamento.

"Non nominare la parola riscaldamento, che in questa casa non c'è mai stato," grida arrabbiata da sotto la coperta.

Le dico che il legno è sostanza vivente, reagisce all'umido, all'asciutto, al freddo, al caldo. "Ancora insisti a nominare il caldo? Ho sentito le voci, questa casa è una tana di spettri." Sono i ghiri nel sottotetto, cominciano a muoversi dopo il letargo.

"Non passerò una seconda notte in questa orchestra di orchi."

Le orchestre sono di archi, le rispondo mentre le avvicino il caffè bollente. "Qui sono di orchi e tu devi essere uno di loro per poterci stare."

Bisogna muoversi, le dico e le avvicino la tazza.
"Mettila sul camino, vengo lì."
Con la coperta addosso si avvicina alla panca davanti al fuoco che cresce di fiamma. "Non ci avevo fatto caso che il fuoco riesce pure a illuminare."

Svuota mezzo barattolo di marmellata sul pane abbrustolito, beve il caffè. "Lo zucchero?"
Non c'è. Mette un cucchiaino di marmellata nel caffè e lo gira nervosa.
Fuori il buio è serrato dal gelo. La casa scricchiola come un corpo che si stira dopo il sonno. Riempio lo zaino dell'indispensabile, niente acqua, faremo con la neve.
Chissà cosa la costringe a questa penitenza.
Indossa ogni strato possibile. Ha uno zaino appesantito in basso. Me lo toglie brusca di mano mentre lo sollevo per darglielo.
Chi non ha abitudine di andare in montagna si carica di pesi inutili.
Penso ai bagagli degli attraversamenti: il loro peso è opposto, contiene il doppio concentrato della vita in viaggio.
Spengo il fuoco, che non si veda il fumo di mattina a segnalare la mia presenza. Usciamo, un principio di chiaro intacca la notte. È l'ora più fredda del giorno, i primi passi grattano il ghiaccio. Lei è imbottita pure sul naso. È arrabbiata, batte un passo affrettato in salita. In pochi minuti andrà in affanno, il corpo ha bisogno di avviamento.

Si ferma, sbuffa, le dico di rallentare senza interrompere il cammino. Non si muove. Le dico che se si ferma un'altra volta, torno indietro. Vado avanti, andatura lenta per farle prendere il ritmo. Il percorso attraversa il bosco in diagonale, il tratto obliquo sforza le caviglie. Ho in mano un bastone che mi fa scaricare un po' di peso.

Lei ha due bastoncini moderni, a punta, scomodi per chi non è esercitato. Inciampa in uno di quelli. Dopo il secondo sgambetto li butta via, sento il rumore, non mi giro a vedere.

Il bosco di larici, abeti, pini cembri è un labirinto interrotto da piccoli precipizi, da aggirare.

In un passaggio ripido mi volto per allungarle un aiuto. In mano ha qualcosa che infila svelta in tasca. Mi sembra un rilevatore di posizione. In questo fitto di alberi, sassi e neve, credo che serva a poco per ritrovare il passaggio, ma non me ne intendo. Può essere che funzioni.

Non si fida? Non dev'essere questo il motivo. Mi viene il pensiero di prendere in alto, in uscita dal bosco, il percorso più difficile. Che sia il mio istinto o quello di mio fratello, meglio scoraggiare una ripetizione.

Il giorno in alto è limpido ma il versante nord che risaliamo resta cupo all'ombra. Non scambiamo una parola. Sento alle spalle il rumore dei suoi passi irregolari. A farli diversi si fatica di più. Devono essere corti e uguali. Non mi metto a spiegare come si cammina in montagna, quelli che accompagno non devono apprendere, devono passare dall'altra parte.

Non conto le ore, le conosco. Ne servono tre per

uscire in cima al bosco tra i massi dell'antica frana. Ci stiamo mettendo di più.

Nessuna traccia sulla neve dura, scavo con la punta dello scarpone qualche gradino nei passaggi ripidi. Lego una corda alla sua vita e dall'alto la aiuto a salire.

Confermo a me stesso la scelta di prendere il percorso peggiore.

A mezzogiorno siamo a una radura sotto uno strapiombo. Il sole entra di striscio. È un buon punto di osservazione sulla salita fatta. Un branco di camosce con i piccoli sta su una cresta vicina in mezzo a una lingua di sole senza neve.

La donna è stanca, mi tolgo lo zaino, lei si butta a terra con un sospiro di sollievo. Mi apparto da lei, prendo il binocolo e guardo.

Qualcuno spunta e scompare dalla pietraia, tra i massi. È solo, ha un fucile in spalla. Segue le nostre tracce.

La donna scarta e mastica un rettangolo energetico. Chiede dove siamo, a che punto. C'è da superare un tratto verticale. Alza gli occhi.

"Per di là? Non può essere. Non è vero che porti i profughi su questa parete. Dove mi stai portando?"

Non rispondo. Si arrabbia, alza la voce. Abbasso la mia, la rallento. Non ho chiesto a che serve l'attraversamento. Restiamo così, due che hanno deciso di fidarsi.

Anche lente, le parole mi sono uscite più dure di quanto volevo. Allora spiego, per diminuire la tensione. In cima alla parete proseguiremo per un lungo tratto di cresta, andando su e giù. Da qui in avanti saremo legati di continuo.

Si mette in piedi, estrae un binocolo dallo zaino. Finge di guardare il panorama, cerca un punto. Non so il motivo di queste manovre, ma lei deve sapere di un uomo che ci segue. Sulla cresta saremo visibili a distanza e raggiungibili da un buon passo. Immagino che lei rallenti apposta. In questo caso mi scioglierò e mi butterò su un ghiaione. Non voglio sapere chi sta dietro e perché. Non ho spirito di indagine e da noi si preferisce sapere il meno possibile.

Lascio lo zaino con la tenda e il fornelletto a gas in una nicchia. Lo ritroverò al ritorno. Mi lego la corda in vita e lei all'altro capo. La parete a strapiombo ha un punto debole, una spaccatura verticale che in alto si allarga a camino. Inizio a scalare, la roccia è fredda, le dita perdono sensibilità. Ci sono abituato, ho un po' di callo a fare da cuscinetto.

Stringendo i bordi della fessura fredda, la pelle si rompe. Non posso usare guanti, la presa me li farebbe scivolare. Dico a lei di usarli, la tirerò su di peso, basterà che appoggi i piedi.

Fatico, non è stagione per fare queste gite.

Più in alto la parete è al sole. Quando lo raggiungo, a cinquanta metri sopra la partenza, la lunghezza di corda è finita, mi fermo e mi puntello bene. La chiamo perché inizi a salire. In principio arranca, scivola, si appende, impreca. Il peso del suo zaino le complica i movimenti e a me complica lo sforzo di issarla.

Ha buona volontà, si calma, si concentra, supera lo sconforto e collabora.

Non ha avuto paura, dice quando raggiunge il punto di sosta, perché ha avuto rabbia. Meglio così, non è una scampagnata.

La assicuro a una sporgenza solida e riparto verso l'alto. Al sole la scalata è più leggera, i piedi si appoggiano con più sicurezza sull'asciutto e scaricano meglio il peso del corpo. In cima alla parete arrivo sudato. Recupero lei e la corda tra noi. Stavolta segue senza passi falsi, scivolate. In cima alla parete mi dice che le è quasi piaciuto. C'è uno scambio di sorrisi che cancelliamo subito.

Anche se so che c'è un guaio in programma, il solo fatto di essere annodati alla stessa corda, mi illude di un'intesa tra noi due. È un errore, ma non riesco a voler male a questa donna, pure se mi sta tradendo. Le mostro la linea di cresta che seguiremo.

È pomeriggio e siamo in salita da nove ore.

Le creste sono un saliscendi su neve e pietraie. In qualche punto sono sottili con due baratri ai lati. Andiamo legati stavolta a corda corta. Se lei scivola su un versante, mi butto a terra sull'altro a contrappeso.

Avanziamo lentamente per un'ora. Ho la speranza che la difficoltà della parete scalata blocchi l'uomo con il fucile. Lei sta rallentando, dice che è sfinita. È il trucco che mi aspettavo. Cerco il punto di cresta più utile per sciogliermi e buttarmi a capofitto in discesa. Vedo un ghiaione ripido che potrei tentare. Niente potrei, devo tentare.

Sta a una cinquantina di passi. Penso di fare così: senza dire una parola mi sciolgo, scalo in discesa le rocce che portano alle ghiaie. Mentre metto in fila questi pensieri, esplode uno sparo, per istinto mi abbasso. Ci voltiamo, non si capisce da dove sia partito il colpo. Se contro di noi, potremmo essere sotto tiro e ce ne potrebbero essere ancora. Vediamo qualcosa che precipita da una cresta che abbiamo attraversato. È un corpo, prima lento, poi a valanga rimbalzando sul ripido di sassi e rocce. Lei si mette le mani alla bocca per soffocare un grido.

Il corpo di un uomo sparisce tra gli sfracelli, centinaia di metri più giù. Lei grida un nome che si strozza in gola. Siamo su una striscia sottile tra due precipizi. La tengo a corda stretta, la tiro verso un punto sicuro.

Siamo in piedi, legati alla vita dalla stessa corda. La prima cosa che faccio è sciogliere il suo nodo. Lei è irrigidita, guarda verso il punto lontano, neanche si accorge dello scioglimento. Disfo anche il mio nodo e recupero i cinquanta metri di corda, li raccolgo a matassa, me la carico addosso. Lei si accorge delle mie manovre. C'è un silenzio impossibile tra noi. Devo tornare indietro, vedere cosa è successo. Faccio uno sforzo per dirlo. Vorrei farlo e basta, se la sbrigasse lei su quella cresta.

Lei mi guarda e sta zitta. Non sono capace di lasciarla senza una scelta. Le indico il suo proseguimento, ancora poca cresta facile, in discesa, poi i boschi pieni di sentieri ben segnati che portano a valle. Siamo già oltre confine. Ha ancora tre buone ore di luce, sono sufficienti. Non riesco a dire altro, mentre termino i miei preparativi per tornare indietro.

"Noi due dobbiamo parlare."

Tardi per discutere.

"Quando hai avuto sospetti?"

Non mi intendo di sospetti.

"Sbrighiamoci, non c'è tempo per giocare a nascondino. Hai capito che sarei stata seguita. Hai avvertito qualcuno per proteggerti le spalle. Ti sei accollato un omicidio, qualcuno dei tuoi ha ucciso l'uomo che ci seguiva. Non sei la persona ingenua che vuoi far credere."

Non capisco una parola. Non ho nessuna vocazione per le storie poliziesche. Io torno indietro e senza di lei, perché devo andare veloce.

"Mi lasci qua?"

L'attraversamento è compiuto, l'avrei lasciata comunque poco più in là.

Ho fretta, la supero e mi butto di corsa sui passi fatti lentamente prima. Alle spalle mi raggiunge un grazie gridato, ripetuto due volte. Il rumore dei miei passi m'impedisce di capire se detto sul serio o per rabbia.

Senza di lei vado di volata, arrivo al punto dov'è caduto il corpo. Ci sono varie impronte sulla neve, oltre le nostre, almeno due persone, forse tre. Hanno calpestato la nostra traccia per non lasciare suole isolate di scarponi. Sul punto dove il corpo è partito c'è una striscia di sangue. È stato trascinato sul precipizio. L'uomo è stato spinto giù, le tracce sono state ribattute da una pala.

Qualcuno ha seguito l'uomo, gli ha sparato e aveva anche una pala.

Il punto dov'è caduto sta tra burroni e crepacci, impossibile scendere a cercare.

Mi sbrigo, accelero in discesa, mi calo con la corda

giù dal tratto di parete scalata. Devo forzare i tempi, recupero lo zaino e corro per rientrare e scansare il bivacco. Da ovest avanza un rotolo di nuvole viola, in anticipo sulle previsioni. È tempesta di neve. Si scatena dentro di me un'energia furiosa, corro e raggiungo la sommità del bosco al buio mentre la tormenta rovescia il suo carico nel vento.

Tra gli alberi scendo alla cieca, a memoria, faccio a botte con le raffiche, grido a me stesso che sto nel mio ambiente, questa è casa mia, la bufera è un cane che mi fa le feste saltandomi in petto con le zampe. Sto in un mezzo delirio di stanchezza e di ostinazione, cado, mi rialzo, sbatto contro rami, la neve si sta sollevando sopra la terra, la bevo, la sputo, la spingo, la sgrido. Non sbaglio niente del percorso, arrivo all'uscio e devo spalarlo per entrare.

Mi butto sotto le coperte con la neve ancora in faccia, senza un pensiero. Non accendo il fuoco, faccio a tempo a levarmi le scarpe e i panni bagnati. Sono vuoto. Niente di quello che è stato il giorno affiora sopra la stanchezza. Il corpo non permette distrazioni, concentrato su se stesso, sul freddo, sullo stomaco digiuno. Mi cade il sonno addosso a valanga mentre la neve fuori schiaccia la montagna.

Al mattino ce n'è un metro e un resto di tempesta a fiocchi lenti. Accendo il fuoco, scaldo accanto l'acqua per lavarmi, poi il caffè con un avanzo di pane e la marmellata con il cucchiaio usato da lei. Sarà scesa in tempo. Che diavolo trasportavano quei due, la bomba atomica? Per ammazzare uno stupido montanaro che non vuole sapere niente. Un paio di domande a vuoto mentre l'acqua si scalda, poi mi spoglio e a pezzi mi ripulisco dai piedi ai capelli.

Ora devo pensare, mi dico.

Quando mai funzionano così i miei pensieri? Arrivano quando vogliono e girano al largo da quello che mi serve sul momento.

I panni di ieri fumano di vapore davanti al fuoco. Fuma il caffè, il pane, resto imbambolato a guardare le scintille della legna secca. Un bel pensatore, mezzo minuto e già mi distraggo. Epicuro mi sputerebbe in un occhio.

Le travi del tetto scrocchiano come gusci di noce, il camino soffia, i ghiri nel sottotetto si rincorrono. Sto nel mio solito inverno, ieri è stato solo uno dei suoi giorni all'aperto. Aprile qua sopra non entra nel conto della primavera.

Non voglio sapere, capire. Contrordine al pensiero: lascia stare.

Mi guardo intorno, vado alla finestra. Ho il peso lasciato dallo zaino sulle vertebre, le mani hanno i tagli della fessura scalata il giorno prima. Spariranno presto, il corpo fa come la neve, cancella le tracce.

Esco a comprare qualche provvista, mi voglio fermare qualche giorno. Il villaggio è sommerso, la strada è scomparsa, fumano i comignoli. Lo spazzaneve da noi non arriva, ci pensa maggio a sgomberare. Faccio acquisti allo spaccio, scambio qualche saluto, nessuno chiede, fanno come se mancassi da ieri. Apprezzo questa discrezione di paese, capace di coincidere con l'indifferenza.

Scarico le provviste a casa, passo all'osteria.

L'oste spala neve davanti all'ingresso, mi saluta e accenna che dentro ci sono i due compari. Gli dico di apparecchiarmi, che finisco io di spalare per lui. Accetta volentieri, mi metto a spostare neve. È leggera, non ha fatto in tempo a compattarsi.

Entro, il mio posto è apparecchiato al tavolo dove sono seduti loro, il fabbro e il fornaio. Resto indeciso, loro m'invitano a sedere con un gesto di mano. Mi versano vino, alzano i bicchieri. "Bentornato."

Non me l'aspetto, però fa piacere che non ci sia rancore tra noi. Bevo il sorso, il fabbro aspetta che io poggi il bicchiere.

"Siamo pari."

Guardo lui, poi il fornaio che fa sì con la testa.

"Non quando te l'ho detto l'ultima volta, che eravamo pari perché non t'ammazzavo. Adesso siamo pari."

Ascolto da lui quello che non so di ieri.

Hanno visto il fumo del mio comignolo e prima annusato l'odore che il vento porta dalla mia casa, ultima del villaggio. Il fabbro voleva venire a scusarsi. Ha visto arrivare di sera un camper sconosciuto. Si è fermato fuori paese, nessuno è uscito. Prima dell'alba mi ha visto fuori di casa con la donna, avviarmi in salita. Un accompagnamento singolo e fuori stagione: voleva capire che stavo facendo. Dal camper è uscito un uomo con una carabina di precisione, non un fucile da caccia. Si è avviato dietro di noi. Il camper è ripartito.

"Ho avvisato il compare, ho preso il fucile, lui la pala, e siamo venuti dietro. A proposito, perché hai preso la via peggiore?"

Non volevo insegnare la migliore. Parliamo a bassa voce, non serve, non entra nessuno.

"L'uomo ci sapeva fare in montagna. È salito su per la fessura slegato col fucile addosso."

Loro due gli hanno dato un tempo di vantaggio, poi sono saliti anche loro in cima alla parete. Arrivati sopra, lo hanno visto montare tra le rocce un cavalletto e aggiustarci sopra il fucile.

"Ci ha avvitato un mirino. Non sono stato a aspettare che si accomodava. A cento metri gli ho tirato nel cranio, un solo colpo. Era anche il posto buono per farlo sparire. Sul versante nostro dei crepacci, dove andavamo a sparare ai camosci. Si sarà infilato in una buca, andremo a frugare, quando sgonfia la neve di stanotte."

Chi era, chiedo. Non si sa, era senza documenti, non voleva attraversare. "Aveva una cicatrice in faccia, quarant'anni e un gran bel fucile."

"Senza di noi ti faceva fuori," dice il fornaio.

"Mi hai tirato vivo dalla valanga, ti ho tirato vivo da una trappola. Adesso siamo pari," dice il fabbro.

Dico sì.

"Questa storia finisce qua. Non ne parliamo più tra noi e con nessuno. D'accordo?"

Beviamo il bicchiere fino in fondo. Lo rigiriamo, non ne deve cadere goccia, così non cadrà una sillaba dalle nostre labbra.

Questa storia finisce qui.

Anche gli attraversamenti sono finiti, hanno cambiato vallata. Succede così in montagna, i forestieri, i turisti vengono all'improvviso tutti insieme e all'improvviso se ne vanno tutti insieme.

Qua sopra valgono leggi diverse da quelle di pianura. Qua sopra la vita sta a più stretto contatto con la morte. Ci si muove tra valanghe, frane, precipizi, inverni assiderati, ospedali lontani. Sulla pelle si forma un callo di sopravvivenza. Si è meno sensibili alle vite perdute, uomini e bestie stanno insieme in stalla e non ci si affeziona troppo tra di noi.

Qua sopra più della vita conta la reputazione. Puoi togliere a un uomo la sua casa, la terra, costringerlo a emigrare, ma non puoi levargli l'onore. Per quello c'è la pena di morte. Non credere a chi sembra il più mite, il rassegnato. Se lo svergogni, ti prepara l'agguato. Qua sopra è facile sparire. I torti si regolano senza denunce, giudici e divise. I debiti si pagano a costo della vita.

Quassù ognuno ha un'arma nascosta. Alcuni hanno l'esplosivo, recuperato da qualche cava o da bombe inesplose. La montagna è una cassaforte di segreti.

Le storie di streghe, orchi, animali sono la cronaca locale in forma di leggenda. I fatti accaduti qui da noi si trasformano in inventati. Anche la storia del crocifisso doveva essere cronaca di avvenimenti poi trasformati in leggenda sacra. La sua condanna a morte, l'agonia di un uomo giovane hanno poi trasformato una collina di Gerusalemme in un altare.

Questi pensieri girano per la testa, li attribuisco a mio fratello, mentre rifaccio i bagagli. Dopo il racconto all'osteria meglio lasciare il posto, se qualcuno viene a cercare il disperso.

Salgo in corriera, torno alla città di mare. Le curve dei tornanti in discesa riavvolgono un gomitolo in testa. Per la stanchezza del giorno prima, mi addormento sul sedile.

Arrivo di notte, cammino verso l'alloggio. Senza luna sfavillano le costellazioni. Senza sonno mi siedo su una panchina, testa in su, appoggiata alle mani incrociate dietro il collo. Sento il rumore delle onde, il respiro pesante del mare, quello di un asmatico.

In alto brillano spilli di luce, pizzicano gli occhi. Per arrivare fino alle mie ciglia consumano riserve infinite di energia, traversando gli anni luce.

La sera prima correvo alla cieca nella neve, ora regolo il fiato sul tempo delle onde. La sera prima esposto alla mira di un fucile, ora al riparo di una notte di primavera: potenza della geografia che in poche ore separa pezzi di vita opposta.

Rimango testa in aria a prolungare la distanza dalle corse di ieri. La donna se la sarà cavata oppure se ne sta sdraiata sulla branda di una cella. Anche lei sperimenta la distanza dalle piste di ieri. Anche lei si sarà buttata dentro un sonno fiume.

S'interrompono continuamente i pericoli calando le palpebre a sipario. Si va continuamente in salvo dentro un sonno.

Di notte svariano volentieri i pensieri, la testa vuota è un pascolo per il loro ruminare quieto. Riappare tra i rami della Via Lattea la sagoma del crocifisso.

Chi muore non sente morire se stesso: sente morire il mondo, le persone intorno, i giorni, le notti, i pianeti, i mari. Chi muore sente estinguersi l'universo fuori di sé. È la misericordia in dote a ogni morte, che scioglie la disperazione dentro l'immensità di tutte le estinzioni.

Vedo schizzare una scintilla in aria che subito si spegne. Viaggiava da milioni di anni prima di sfaldarsi in briciole roventi nell'attrito con un'atmosfera, adesso. Adesso: ho appena assistito all'avvenimento più antico che conosco. Adesso è per un istante una parola gigantesca.

L'universo mescola i suoi frammenti, niente è alieno.

La sola volta che parlò di stelle, il crocifisso, fu per annunciarne la caduta. Stanno ancora lì, più sbriciolate ma al posto assegnato, come le montagne. Non parlava del loro crollo, ma del suo.

Sapeva che la fine del mondo coincide e si ripete con la morte di ognuno. Il cielo si ripiegava come un rotolo insieme ai suoi rantoli.

Stanotte mio fratello è in forma, accende i suoi pensieri come dei bengala. Respiro profondo, rompendo il ritmo delle onde. Cerco per aria un'altra scintilla. Non succede. Sorrido di stare nella buffa attesa di un evento cosmico privato, l'adesso di un'altra estinzione.

Mi scuoto con un brivido di freddo. Abbasso gli occhi a terra, mi accorgo dello sforzo di mettere a fuoco il metro tra i piedi, dopo aver girato le galassie. È la vertigine al contrario dell'astronomo. I primi passi sono dell'ubriaco che inciampa su se stesso.

Al mattino vado in canonica, il prete è in giro indaffarato con i preparativi di Pasqua. Va per le case a benedire. Nello stanzone della statua mi sorprende una luce più forte. Hanno cambiato illuminazione, è squillante, cancella le ombre. La nudità è più violenta, più tragica la mutilazione.

Passo un panno umido sul corpo per togliere la polvere, il panno non si sporca. Lo hanno già fatto in mia assenza.

La ferita da taglio intercostale sembra più slabbrata, più aguzzi i rovi delle tempie. La luce in eccesso è un errore. Al momento della morte il cielo era cupo di pioggia trattenuta.

In punta di dita passo intorno ai chiodi. Mi stupisco di non averlo fatto. Sulla testa del primo, quello ai piedi, sento sotto il polpastrello un'incisione. Salgo a controllare gli altri due. Anche loro al tatto portano sulla testata un piccolo sigillo. Con la lente d'ingrandimento guardo meglio, sono differenti. Ricopio sul quaderno per portare i segni al rabbino.

Protesto con me stesso per non avere fatto prima l'ispezione completa con lente e polpastrelli dell'intera superficie. Per un'ora frugo ogni centimetro, senza trovare altri segni.

Vado dal rabbino. La loro Pasqua è già trascorsa. Per loro è la celebrazione di un attraversamento. Oltrepassano il confine dell'Egitto e della servitù. Entrano nella libertà, che all'inizio è un deserto spalancato. Si chiude a serratura il varco alle spalle, inaugurano il viaggio. È la prima festa di uguaglianza delle storie sacre, nessuno di loro è schiavo.

Questo mi spiega lui, ricevendomi stavolta a casa sua. Mi offre caffè turco, la sua famiglia viveva a Istanbul.

Il suo studio è una fortificazione di libri, a torri, a spalti, ovunque dal soffitto al suolo. La sua scrivania è un ponte levatoio. La gran parte dei titoli è letteratura. Mi presenta con un gesto le pareti stracariche.

"Sono il loro ospite," dice senza scherzo.

"Mi dispongono allo studio delle storie sacre. Sono l'anticamera, il cortile. Dopo le loro pagine posso entrare nel recinto."

Gli faccio vedere i tre segni incisi sulle testate dei chiodi. Annuisce, anche stavolta si tratta di lettere ebraiche.

"Sono alef, dalet, mem, formano il nome Adàm. È lui l'autore, questo intende lo scultore con il messaggio. Adàm, la specie umana intera, ha battuto quei chiodi, lasciando la firma. Nei vangeli si riporta la frase: 'Perché mi hai abbandonato?'. È la ripetizione di un verso di Davide in un salmo. In ebraico si può leggere senza punto interrogativo: 'A cosa mi hai abbandonato'. Come un atto di accusa, guarda a cosa mi hai abbandonato. A cosa: in ebraico, per valore numerico equivalente, si può leggere: 'A un Adàm mi hai abbandonato'. Ecco il suo nome sui chiodi."

Lo scultore ha voluto essere scrittore. Ha seminato lettere sulla superficie per aggiungere un rigo a quella storia.

La sua identificazione fisica con il crocifisso gli aveva imposto la conoscenza dell'alfabeto ebraico. Aveva inciso una scrittura sulla statua, ma lontano dagli occhi. Non per lo spettatore che osserva, ma per chi si avvicina, attraversa il confine della distanza e arriva a toccare con mano. I segni sono per chi è disposto a farsi contagiare.

Mi ritrovo davanti al baratro dei significati, ho bisogno di appoggiarmi a un sorso di caffè turco. Il rabbino mi lascia il tempo di assorbire. Poi conclude.

"Essere condannati nudi a morte. È stata la sorte del mio popolo nel secolo passato, nel deserto di Europa. Spogliati prima di essere uccisi: gli assassini ripetevano da automi i preparativi della crocifissione di un ebreo."

Confuso dalle notizie, urto una pila di libri che rovinano a terra. Sono mortificato, li raccolgo, mi scuso. Mi aiuta, dicendo di non preoccuparmi dei libri.

"Non sono fragili, si lasciano maltrattare. Resistono più di noi all'usura, al gelo, agli esili e ai naufragi. Il loro prodigio è che sanno prendere il tempo di chi legge. Apri Omero e te lo trovi accanto. Lo chiudi e se ne torna nei suoi secoli."

Ripasso dal prete pensando a Omero. Non è così per il crocifisso, per il suo discorso della montagna, sulle uguaglianze, sulle felicità. Chiudo le pagine di Matteo e quelle non tornano nel loro millennio. Si sono infilate nell'ascolto, fanno del lettore un testimone, uno che era lì.

Può essere questa la distanza tra Omero e Matteo.

Parlo di questo con il prete rientrato dal giro delle benedizioni. Rimette a posto l'acquasanta, l'attrezzo che lui chiama aspersorio, si toglie i paramenti.

Bussa precisamente a ogni porta. Una metà non vuole, un quarto non risponde, il resto accoglie l'acqua e le parole. È la sua maratona di Pasqua. Lui benedice pure gli usci chiusi.

Di rado legge Omero. Per lui Matteo è il giornale quotidiano che riporta l'ultima notizia, mentre Omero ha il fascino della leggenda.

"Matteo è la terraferma, Omero il mare, non questo vostro, gentile pure quando si gonfia. Il mio mare è l'Atlantico furioso delle Antille, gli uragani e le zampate dei vortici di vento che scoperchiano le case. Ma torniamo a noi."

È andato con il vescovo a fare la prova di come riuscirebbe l'attaccatura. La prima impressione è stata di vistosa aggiunta. Poi l'impressione opposta, che appartenga al corpo.

"A uno sguardo più lento non ci si fa più caso. Il principio di erezione è sfumato, bisogna volerlo trovare. Sull'originale, nella fotografia dell'epoca, il bianco accentuava il dettaglio. Il marmo differente invece invita l'attenzione sulle venature, che ripetono la torsione del corpo. Il marmo che hai trovato e lavorato è un'idea di artista, te ne diamo atto. La natura, come la chiami tu, risulta dissimulata più che esposta."

Gli chiedo la ragione della nuova illuminazione.

"Abbiamo aggiunto luce perché sia evidente la pena supplementare della nudità, la volontà di umiliare così il condannato. Quella nudità vuole aggiungere vergogna. Ci sono donne intorno, c'è assemblea. Ma qui, sulla statua e sulla croce, avviene il rovesciamento. Il corpo offeso si trasfigura e la sua nudità, da vergogna di essere umano diventa purezza di agnello sacrificato. La croce diventa altare e il corpo la sua offerta."

Posso procedere all'attaccatura.

Gli dico delle tre lettere ebraiche incise sulla testa dei chiodi, dell'aiuto che mi ha dato il rabbino. Ne parlerà al vescovo, ma può già dirmi che quei segni aggiungono profondità alla scultura e che insieme alle altre scoperte fatte da me sulla superficie, saranno resi noti. Il rabbi, lo chiama così, sarà invitato all'inaugurazione. Chiedo di invitare l'operaio algerino della cava di marmo, che mi ha donato il blocco. Anche se non verrà, gli farà piacere ricevere l'invito.

Mi consegna la natura avvolta in un lino delicato.

Ho voglia di camminare, vado sulla spiaggia. Il vento mi striglia la faccia, s'infila nel naso, nelle orecchie, mi spiccica dalle palpebre qualche gocciolina. Le pupille si lavano col vento, non col sapone.

Cammino qualche ora, raccolgo piccoli legni contorti, madreperle, per abitudine di guardare in terra. Alghe secche si sbriciolano sotto i piedi. I miei sono due legni magri e stretti, potrebbero appartenere a Pinocchio. Anche le gambe sono scarse di carne, larghe in qualunque paio di pantaloni. Il vento sbatte su di loro facendo svolazzare la stoffa superflua.

Ritrovo il punto dove la donna e io ci siamo seduti, sotto l'insegna di uno stabilimento. La sabbia è pareggiata, senza il segno del nostro peso. Ci vuole un ghiacciaio in discesa per millenni, prima di lasciare sulla faccia dei monti la traccia di passaggio di un attrito. Ci vogliono accidenti colossali per incidere un ricordo sulla faccia del mondo. La pretesa di lasciare un segno non è alla portata di noialtri.

Non ci sono pescatori con la canna. Anche la riva è un confine e potrei superarlo entrando in mare. Proseguirei il cammino, scenderei sul fondo.

Si oppone il pensiero di mio fratello: non sul fondo, perché dentro l'acqua spinge una forza opposta a quella di gravità, togliendo peso, sollevando il corpo a galleggiare. Se n'era accorto il siracusano Archimede, che si occupò di terra, cielo e mare.

Fu ucciso vecchio da un giovane soldato di Roma. Il ricambio tra generazioni può essere catastrofico. I vecchi dovrebbero morire per amore, cadendo da una scala a pioli appoggiata al balcone della coetanea amata.

Mio fratello parla col vento che mi entra nel naso e va dritto nel cranio a visitarlo. Mi restituisce pensieri della specie degli starnuti, improvvisi, pizzicando per farsi buttare fuori.

Raccolgo un sasso scavato da molluschi, un loro condominio abbandonato. Nei suoi buchi rotondi metterò un po' di terra e un seme. Invento una variante del suo alloggio.

Cammino finché ho sete.

A cena mi informo sulle resine moderne per incollare il marmo. L'operaio algerino me ne consiglia una epossidica, pulendo bene prima le due superfici di contatto. Si raccomanda di renderle porose. Sono premure ovvie, ma mi fa piacere sentirle da lui.

Acquisto la resina e una carta abrasiva a grana grossa per la resa ruvida delle due congiunzioni.

Resta da fare questa facile manovra e il compito è finito. Mi sono avvicinato all'opera da corpo a corpo, fino all'imitazione della circoncisione.

Prima di andare nello stanzone per l'ultima volta passo dal prete. Confermo di non volere la mia firma in margine al restauro. L'opera è dello scultore, io sono il suo vice in un dettaglio.

Lui osserva che il mio nome sul restauro mi procurerebbe altri incarichi. Non importa, non mi serve aumentare il giro di affari, dico per scherzo. Non sarò all'inaugurazione, conoscerò il risultato finale prima degli altri, visto che lo inauguro io.

Vado. Mi sento un po' suonato, come dopo una febbre di molti giorni. Svolgo dal lino il blocco di marmo, il contatto fa vibrare le dita. È il meglio che ho saputo fare, il mio capolavoro. Sorrido di me stesso.

Con la carta abrasiva rendo ruvide le due superfici di contatto. Avvicino per prova. Sento la resistenza di due calamite che si respingono. La suggestione del momento mi confonde, che sia debolezza dovuta all'emozione. Riprovo con un po' più di energia, il blocco svicola di lato. Non capisco e come al solito non mi interessa capire, devo solo eseguire. Mi calmo e riprovo. Una forza respinge.

Mi sono scimunito? Di che forza parlo? Parlo, sto parlando, mi esce una voce che farfuglia. Le labbra bisbigliano da sole. Non so quello che dicono. Mi tocco la fronte per sentire la temperatura. È fresca. La tocco di nuovo, scotta. Mi arrabbio con me stesso. Con uno scatto brusco mi avvento contro il punto di congiunzione. Lo sforzo è intenso, un corpo contro un corpo, finché per la spinta scivolo di lato, mi rovescio a terra.

Respinto. Altro che suggestione, non posso terminare l'opera. Mi sono pure ammaccato il fianco, proteggendo nella caduta il pezzo stretto a due mani. La scultura non vuole la mia aggiunta.

La spiegazione è sballata come la mia condizione.

Respinto. Fine del capolavoro, della mia presunzione. Sono atterrato gambe all'aria e non mi rialzo per la fitta al fianco. Sono in una posizione goffa, accartocciato a terra, con la natura che non ho mollato e stringo ancora. Ai piedi del solenne crocifisso me ne sto rannicchiato e indolenzito. C'è di che essere orgogliosi. Spero non entri il prete.

Il prete, immagino la sua faccia, lui che entra all'improvviso: si avvia con un colpo di tosse un principio di risata. Comincio a sussultare piano, poi più forte un riso convulso mi scuote e mi tormenta il fianco. Una costola si dev'essere interessata del pavimento. La risata insiste sul dolore e mi fa ridere di più. Mi scorrono lacrime, non so se di pena o di comico. Coincidono e non smettono fino a farmi boccheggiare a corto di fiato. Mi calmo, stremato, ma il riso riparte convulso. Non riesco a fermarlo, credo di essermi pure bagnato i pantaloni.

La faccia del prete che mi sorprende in queste condizioni continua a dare energia alle scosse. Non è entrato, non è entrato: provo questa frase di esorcismo e il riso raggiunge lo spasimo.

Smette per esaurimento di energie. Sono bagnato fradicio di tutti i liquidi del corpo, manca solo il sangue. Stringo ancora a due mani la natura di marmo. Allento la presa, lascio andare il pezzo sul pavimento, le dita restano contratte.

Neanche dopo la valanga mi sono trovato così sfinito. Mi tiro su lentamente, appoggiandomi alla base del crocifisso. Non riesco a alzarmi più su delle ginocchia. Da questa involontaria posizione devota, alzo gli occhi alla statua. Le chiedo scusa. È la prima volta che la osservo da questo punto della sua verticale. Le palpebre socchiuse, la piega delle labbra: da qui sembra che accennino a un sorriso. Sono ammaccato al punto di immaginare di averlo fatto sorridere.

"Ancora non hai capito?"

Non è la statua a parlare. È mio fratello, un bambino di sei anni. È la prima volta che esce allo scoperto, a viva voce, fuori dal mio cranio. Resto ammutolito, senza riuscire a mettermi in piedi.

"Eseguivi il lavoro con orgoglio e sei stato respinto. Devi eseguirlo in tremito."

Non lo ringrazio. Mi appoggio ai piedi della statua, mi rialzo. Faccio la mossa che dovevo fare entrando qui. Mi levo le scarpe. Poi tolgo il resto dei panni. Ho i brividi. Raccolgo il pezzo.

Applico la resina alle due superfici di contatto. Avvicino la natura alla sua congiunzione. Non controllo il tremito delle mani, temo di attaccare male, di essere impreciso. Le due parti si attraggono da sole. Accosto. Unisco. Fine.